KB103196

아빠와 함께 보물섬으로

아빠와 함께 보물섬으로

발 행 | 2024년 3월 18일
저 자 | 양산호
펴낸이 | 한건희
펴낸곳 | 주식회사 부크크
출판사등록 | 2014.07.15.(제2014-16호)
주 소 | 서울특별시 금천구 가산디지털1로 119 SK트윈타워 A동 305호
전 화 | 1670-8316
이메일 | info@bookk.co.kr

ISBN | 979-11-410-7679-5

아빠와 함께
보물섬으로

양산호 지음

차 례

세계유산이 뭘까 자연유산은 뭘까

- 인환아, 세계유산이라고 들어봤니?
- 그럼요. 설명하기는 곤란하지만 예는 들 수 있어요. 수원 화성은 세계문화유산이고, 훈민정음은 기록유산이고, 갯벌은 자연유산이에요. 그리고 아빠가 저한테 좋은 것을 물려주시면 그것도 유산이지요.
- 맞네. 유산은 부모가 생각할 때 아주 좋은 것을 자식에게 물려주는 것인데 예금통장, 집, 논밭, 골동품, 정원이나 여러 가지가 있겠지. 그것처럼 유네스코에서 선정한 기준에 따라 어느 나라에 있든지 탁월한 가치를 지닌 것으로, 이건 진짜 찾아내서 보호하고 보존해야겠다 싶으면 세계유산으로 지정하고 대장에 올리는 거지.
- 부모가 물려준 유산이라면 다른 거하고 다르겠어요. 또 제 자식에게 물려주어야 하니까.
- 나중에 결혼할 거야, 자식도 낳고?
- 아버지가 행복하게 잘 사시는 것 보고 결정하겠어요.
- 하하하. 이번에는 배를 타고 세계 각국을 다니면서 자연유산을 한 번 살펴볼 생각이야. 아, 복합유산도 있구나. 문화유산에다가 자연유산을 더한 거야.
- 선정 기준이 어떻게 되는데요?
- 유네스코 세계유산에 등록이 되려면 말이야. 문화유산에 등재되기 위한 여섯 가지 기준이 있고, 자연유산에 등재되기 위한 네 가지 기준이 있어. 그리고 공통적으로 완전성과 보호 및 관리체계가 들어 있어.
- 우리가 가는 곳이 자연유산이나 복합문화유산이니까 자연유산에 대해 알

고 싶어요.

- 먼저, 케냐 국립공원처럼 자연이 무척 아름다워야 한다는 거지. 다음으로, 제주 용암동굴·화산섬처럼 생명의 기록이나, 지구 역사에 대해 알 수 있는 사례가 있어야 해. 그다음으로, 다양한 생물들이 살고 있어 진화나 발전의 과정을 보여주는 것. 마지막으로, 중국 쓰촨 자이언트판다 보호구역처럼 과학적으로 연구하거나 보존하는 데 중요한 곳이야.

- 그런데 몇 개나 돼요?

- 해양 및 연안에만 갈 거니까. 얼마 안 돼. 다 합쳐서 50군데나 될까.

- 우리나라에는 없어요?

- 유네스코에 등재된 세계유산이 15개인데 그중 두 개가 자연유산으로 등재되어 있어. 제주 화산섬과 용암동굴, 그리고 한국의 갯벌이 있는데 다음에 기회가 있겠지.

- 바다의 남자, 항구의 남자인 아빠와 함께요?

- 좋아. 이번에도 역시 기억에 남는 바다 여행이 될 거야.

1. 오가사와라 제도 (일본)   동양의 갈라파고스

- 먼저 가깝고도 먼 나라 일본에 가까이 있는 곳을 가보자. 이름은 오가사와라 제도.

- 가깝고도 먼 나라요?

- 일본은 지리적으로 가깝지만, 우리와 가까이하기에 너무 먼, 그렇다고 멀리할 수도 없는 그런 나라야. 임진왜란, 1910년의 국권피탈 이후 우리는 일제

의 식민 지배를 받았어. 해방이 오고 1965년 일본과 국교 정상화가 되고 교류를 해왔지만, 지금도 정리되지 않은 과거사 문제가 일본과 한국 사이에 가로막고 있어.

- 한일전 축구가 생각나요. 이순신 장군 영화도 생각나고요. 불멸의 이순신, 명량, 한산.

- 그렇지. 오가사와라 제도는 일본 열도에서 남쪽으로 약 1,000킬로미터 떨어져 있는 곳인데, 조선이 갑신정변의 주역인 김옥균의 신병을 요구하자 일본이 2년간 유배시켰던 곳이기도 해. 오가사와라 제도가 1968년 도쿄도에 편입되기까지는 우여곡절이 있었어. 섬 이름은 16세기 귤을 싣고 가다가 처음 발견한 사람의 이름인 '오가사와라 사다요리'를 따서 지어졌다고 하는데, 최초의 발견 기록은 17세기 초 에도막부 시절이야. 1861년 영국·미국이 일본 영토임을 승인했고 1876년에 일본으로 귀속되었어. 그런데 제2차 세계대전 후에 미국 통치로 들어갔다가 1968년 6월에 다시 일본 영토가 되었고.

- 참, 섬이 30개의 섬으로 이루어져 있다고 했는데.

- 맞아. 해저화산이 융기해서 생긴 섬이라 평지가 적고, 해안에 가파른 절벽이 많아. 남북으로 3개의 열도, 그 외 3개의 섬으로 이루어져 있어. 무코지마열도, 치치지마열도, 하하지마열도 그리고 기타이오섬, 미나미이오섬, 니시노지마섬으로 이루어져 있어. 2개의 섬에만 사람이 사는데, 치치지마는 2,000여명, 하하지마에는 500명 정도가 살아. 과거에는 포경선 중간기착지로 유명한 곳이었어. 세계유산으로 지정된 다음에는 관광에 종사하는 사람들이 많아졌고, 무엇보다 바닷물이 얼마나 깨끗하고 맑은지 '보닌 블루'라는 말이 있을 정도야. 영어권에서는 오가사와라 제도를 '보닌 제도'라고 부르거든.

- 환태평양 조산대, 불의 고리인데 화산분출은 없었나요?

- 인환이가 불의 고리도 아는구나. 아직도 화산활동이 감지되는데 2013년에는 니시노시마 부근에 직경 200미터가량의 새로운 섬이 탄생하기도 했어. 이후 화산활동으로 니시노시마와 합쳐지기는 했지만. 2015년, 2020년에는 심해지진이 일어나기도 했고, 그래서 지금도 니시노시마에는 상륙이 불가능하다고 해.

- 기후는 어때요? 온대기후는 아닌 거 같고.

- 아열대 기후에 속하니까 기온의 변화가 적어. 1년 내내 서리나 눈을 보기는 어려워. 여행은 6월 하순에서 7월 상순이 좋은데 그때가 장마가 끝나고 태풍도 오지 않거든. 365일 수영할 수 있지만 5월~10월이 적당하고. 그런데 여기 가려면 도쿄에서 출발하는 배를 타고 가는 방법밖에 없어. 환경보존을 위해 공항을 개발하지 않았거든.

- 경치가 좋다고 들었는데, 어느 정도인가요?

- 오가사와라의 밤은 일본 제일의 밤하늘, 별이 빛나는 밤으로 3번이나 선정될 정도야. 개기 일식이나 월식, 핼리혜성을 보려고 천문을 사랑하는 팬들이 멀리서 오기도 하고.

- 밤에 일어나 꼭 보아야겠어요.

- 바다로 가보자. 수심이 깊어 바닷물이 짙푸른 데 새하얀 모래사장도 환상적이야. 거기에 향유고래, 흑등고래 등 20종의 고래가 살고, 만타레이, 대형 참치 무리가 살아. 일본에서는 푸른바다거북이 알을 낳는 곳이기도 하고. 그뿐 아니야. 일 년 내내 수많은 돌고래도 볼 수 있어. 흑등고래를 보고 싶으면 1월에서 3월 사이가 좋아. 흑등고래가 새끼를 낳고 기르기 위해 찾아오는데 놓칠 수 없겠지. 또 동식물의 94%가 이 지역에서만 볼 수 있는 고유종이야. 그래서 동양의 갈라파고스라는 말이 붙었을 거야.

- 갈라파고스? 어디서 많이 들어봤는데.

- '종의 기원'이라는 책을 쓰고, 진화론으로 세계적인 혁명을 이끌어낸 다윈이 1835년에 비글호라는 배를 타고, 지리적으로 격리된 갈라파고스라는 섬에 가서 고유종이 많은 독특한 생물상을 연구했던 곳이야.

- 그 정도인가요? 그럼, 우리가 타고 가는 배도 비글호 2.0 버전은 되는 거 아니야.

- 오가사와라 제도는 한 번도 육지와 연결된 적이 없어. 그래서 고유생물뿐 아니라 다양한 진화 과정을 보이는 식물종들이 서식하고 있어. 이틀만 살고 시든다는 버섯 그린페페. 나무 한 그루가 숲을 이룬다는 벵골보리수, 열대 바닷가에서 볼 수 있는 뾰족뾰족한 모습의 판다누스 원시림도 있고 오가사와라 과일박쥐를 비롯한 195종의 멸종위기 조류들이 살고 있고. 그뿐 아니야. 야생식물군도 4백여 개 분포하고 있어. 오가사와라 흑비둘기라는 비둘기도 있었는데 인간을 본 적이 없어 잡으려고 해도 도망치지 않아 멸종해 버렸다고 해.

- 안타까워요. 섬 이름에 대해서도 알려주세요.

- 가족관계나 방위를 따 온 이름이라고 해. 오가사와라촌 북쪽에는 아빠라는 뜻의 '치치지마'를 중심으로 남자 가족 명칭의 섬이 몰려있고, 남쪽에는 엄마라는 뜻의 '하하지마'를 중심으로 여자 가족 명칭의 섬이 분포되어 있어. 무코지마는 신랑, 요메지마는 신부, 나코도지마는 중매인, 아니지마는 형, 오토토지마는 남동생, 아네지마는 누나, 이모토지마는 여동생이야. 기타노섬은 북쪽섬, 니시노섬은 서쪽섬, 미나미토리섬은 남쪽 새의 섬이야.

- 참 특이해요. 섬 이름에 가족이 들어가 있다니. 우리처럼 유교 국가라 그런가.

- 혹시 해리포터 일본 마법학교가 어디 있는지 알아?
- 아니요, 일본에 마법학교가 있다구요?
- 조앤 K. 롤링이 그랬어, 포터모어에서. 오가사와라에 있다고.

2. 시레토코 (일본) 땅이 끝나는 곳

- 다음은 어디인가요?
- 일본 열도 가장 북쪽에 있는 땅끝 마을로, 아이누어로 '땅이 끝나는 곳'이야. 홋카이도(북해도 지방) 시레토코반도는 육지와 붙어있기는 하지만 섬과 다를 바가 없어. 산과 바다의 생태계가 만나면 무슨 일이 벌어지는지 보여주는 천혜의 자연공간인 셈이지. 그러나 우리에게 홋카이도는 가슴 아픈 곳이지.
- 그래요? 홋카이도 지방에 대해 더 알려주세요.
- 일단 아주 추운 곳이야, 냉대기후이고 동쪽에는 태평양이 있는데 여름에 바다 안개가 자주 끼고, 북동쪽은 오호츠크해가 있는데 겨울에 유빙이 떠내려오고, 서쪽에 동해가 있는데 겨울에 눈이 많이 와. 본토와 달리 아이누족이나 소수민족이 살았던 곳으로 메이지 시대 이후에 일본인들이 대거 이주했어. 태평양 전쟁 말기 20만 명에 가까운 우리 조상들이 강제노역으로 끌려가 일한 곳이기도 하고, 돌아가신 분도 있고.
- 조상들의 원혼이 깃든 곳이네요.
- 응. 그래. … 어마어마하게 눈이 많이 오는 곳이라 스키장도 많아. 눈이 이십 미터씩 오는데 어디를 보아도 하얀 눈이 펼쳐진 설국이라 환상적이지. 참,

눈길을 걸어가려면 스노우 슈즈, 우리말로 설피를 신어야 해. 그래야 발이 빠지지 않지.

- 눈도 많이 오지만 유빙도 떠내려온다고 하던데요. 아, 나도 얼음 타보고 싶다.

- 1~4월이면 러시아 아무르강에서부터 이천 킬로미터를 떠내려 온 유빙이 오호츠크 해안에 가득해. 말 그대로 바닷물이 찬바람에 얼었다가 떠내려오는데 해류와 바람을 타고 홋카이도 해안에 도착하는 거지. 이 얼음덩어리는 사람이 타며 놀 수도 있는데, 혼자 오는 것이 아니라 풍부한 플랑크톤도 함께 가지고 내려와. 그래서 연어, 큰바다사자, 범고래 등의 좋은 서식지가 되고, 숲에는 불곰, 에조사슴, 에조리스(청설모), 참수리나 부엉이도 살게 되는 거지.

- 고래가 노는 모습도 볼 수 있나요?

- 반도의 동쪽 바다에 가면 유빙을 따라 회유하는 범고래와 돌고래도 볼 수 있어. 운이 좋으면 항구 바로 근처에서도 10미터가 넘는 거대한 고래가 바닷물을 뿜는 모습을 볼 수 있어. 참, 유빙 속에서 사는 클리오네라는 껍질 없는 조개는 일본에서는 바닷속을 귀엽게 날아다녀 '바다의 천사'라는 별명이 있어. 바다에는 바다사자, 연어, 고래 등의 포유류와 바다새, 철새들이 서식하고 있어.

- 유빙이 생각보다 좋은 일을 많이 하는군요.

- 맞아. 이곳은 해양생물, 육상생물 모두에게 중요한 곳이야. 흰꼬리수리나 북극여우가 유빙을 타고 시베리아에서 오는 경우도 있어. 바다표범은 유빙 위에서 새끼를 키우기도 하고.

- 다른 동식물도 알려주세요.

- 오래된 저지대 숲에는 침엽수와 활엽수 원시림이 울창해. 고로쇠나무, 미즈나리 떡갈나무, 가문비나무, 사할린 전나무 등. 더 높은 고도에 눈잣나무가 자라고. 거기에는 여우, 사슴, 곰, 부엉이 등이 살고 있고. 흰꼬리수리, 시마후쿠로(홋카이도 수리부엉이), 800종에 이르는 고산식물과 시레토코 제비꽃 같은 멸종위기에 처한 동식물도 있어.
- 제비꽃도 살아요?
- 우리나라에서처럼 제비가 올 무렵 산이나 들에 피는 제비꽃과 달라. 고산식물로 산꼭대기 부근에 사는 시레토코 토착종이야. 6월 말이나 7월 초에 꽃을 피우는 강인한 식물이야.
- 에조사슴은 사람이 사는 곳에도 자주 나타난대요. 가까이 다가가도 도망치지도 않고.
- 우리가 보고 있는데도 도망칠 생각이 없어 보여. 자연과 사람이 이렇게 어울려 공존할 수도 있구나 싶지. 엉덩이 하얀 털이 뒤집히면 위기감을 느끼고 도망가는데 거리가 있으면 도망가지 않아. 개체수가 많이 늘어나 정부에서 한 번씩 포획 작업을 한다고 해.
- 불곰이 나타나기도 해서 무섭다던데요.
- 시레토코의 터줏대감은 사람들이 아니라 불곰이었어. 불곰들에게 인간은 반갑지 않은 손님이었던 거야. 인간이 찾아들고 홋카이도에 개발 열풍이 불면서 불곰은 멸종위기에 이르렀거든. 지금은 국립공원에 300마리 정도가 살고 있는데 혹시 생길 일을 예방하기 위해 주민들이 학교나 마을회관을 다니며 교육하고, 길목마다 '곰 출몰 주의'를 알리는 안내판을 설치해 놓았어.
- 다섯 개 호수 탐방로에 나타난다는 말을 들었어요.
- 탐방로를 걷다 보면 맑은 호수에 비친 시레토코 연봉들과 자작나무들을 볼

수 있는데, 아주 환상적이야. 그런데 불곰은 보기가 어렵다고 해. 불곰들은 연어나 송어를 잡아먹기 위해 주로 이와오베쓰강에 자주 가거든.

– 저기 폭포가 특이해요. 절벽에서 바다로 직접 떨어지고 있어요.

– 후레페 폭포라고 하는데 폭포 정상에서 지하수가 솟아나 절벽에서 바로 오호츠크해로 떨어져. 그 모습이 꼭 처녀의 눈물 같아 '처녀의 눈물'이라고 애처롭게 부르고. 그런데 사람에게는 허락되지 않는 물이야.

– 수질이 안 좋은가 봐요.

– 아니야. 바다로 바로 떨어지니 사람이 먹을 수 없어서 그래.

– 아, 그렇군요. 유산으로 등재되는 데 주민들의 노력이 아주 컸다는 이야기를 들었어요.

– 맞아. 시레토코는 일본에서도 접근하기 어려운 오지라고 할 수 있는데 2005년 7월에 세계자연유산에 등재되면서 생태 여행지로 주목을 받게 되었어. 이 지역에 살던 주민들이 벌인 노력이 아니었다면 그렇게 되기 힘들었을 거야.

– 특별한 노력이 있었는가 봅니다.

– 아이누족이 사냥이나 채집하면서 살던 곳인데 홋카이도가 개척되어 살기가 좋아지면서 사람들이 우르르 몰려왔어. 터전을 잃게 된 주민들이 내셔널 트러스트(National Trust) '1인 100㎡ 숲 살리기' '한 구좌 8000엔 기부 운동'을 전개하면서 시레토코의 삶과 자연환경을 지켜낼 수 있었다고 해.

3. 록 아일랜드 남쪽의 석호 (팔라우)(복합문화유산) 신들의 바다 정원

- 어느 국가인가요? 남태평양에 있는 신들의 바다정원인가요?
- 들어본 곳이야?
- 검색하려고 팔라우를 쳤더니 나오는 이름이에요. 그런데 팔라우 국제공항에 도착한 사람들은 서명해야 한대요.
- 팔라우 서약 말이구나. 내가 여기 남기게 될 흔적은 물에 씻겨나갈 발자국 뿐. 팔라우의 문화와 자연을 보호하기 위해 관광객들에게 서약을 받는 거지. '하늘에서 보면 지상낙원처럼 보이고 물속으로 들어가면 순간이동 한 것처럼 여겨진다'는 팔라우를 보존하기 위해서.
- 팔라우는 자연보존을 위해 애를 많이 쓰고 있네요.
- 이번 유산은 태평양 서쪽에 있는 나라, 팔라우 코로르 주에 있는 록 아일랜드 남쪽의 석호야. 석호 안에 화산활동으로 인해 만들어진 445개의 석회암 섬이 있고 또 그 안에 크고 작은 숲이 우거져 있어. 산호초가 버섯 모양으로 생긴 섬을 둘러싸고 있고.
- 석호는 뭔가요? 모르는 말이 많이 나와요.
- 바다와 분리된 호수인데 주위를 모래사장이나 산호초가 둘러싸고 있다고 생각하면 쉬울 거야. 우리가 아는 호수(담수호)보다 염분농도가 높아 플랑크톤이 풍부하고 고기들이 많이 살아. 이곳에는 환초로 싸인 52개 호수가 있는데 세계에 이보다 더 많은 곳은 없을 거야. 이 호수들이 생태학적이나 지질학적으로 다른 단계라는 게 놀라워. 바다와의 연계성도 서로 다르고.
- 갈수록 어떤 섬인지 궁금해져요.
- 지구에서 가장 풍부한 해양 생태계를 자랑하고 있는데 팔라우 바다의 80%

는 해양보호구역이야. 멸종위기에 처한 육지 생물군, 어류는 746종이나 되고 산호는 385종이 넘고 700종이 넘고, 몸길이 3미터 정도에 콧구멍이 두 개인 바다소 듀공, 13종 이상의 상어와 쥐가오리가 살고 있어. 깊은 물 속 산호초 위에 사는, 껍데기 길이 1.5미터의 거대한 조개인 거거가 7종, 토종 앵무조개도 살아.

- 스노클링(잠수를 즐기는 스포츠), 다이빙하려고 세계 각지에서 모여드는 이유가 있군요. 물속에서 아름다운 산호초도 보고, 열대어들이 왔다 갔다 하는 것도 볼 수 있겠어요.

- 그런데 조심할 게 있어. 2020년 1월 1일부터 팔라우는 세계에서 처음으로 자외선 차단제 사용을 금지했어. '옥시벤존' '옥티녹세이트' 같은 물질 때문인데, 이것이 들어간 자외선 차단제는 사람에게는 도움이 되지만 바다에 녹아들면 어린 산호와 물고기가 자라는 것을 방해한대. 그러니 남태평양의 보석을 보호하려면 자외선 차단제를 쓰지 않아야지.

- 자외선 차단제가 그런 부작용이 있을 줄이야.

- 주의할 사항이 더 있어. 팔라우 해역은 상어 보호구역이야. 그러니 상어를 잡아서는 안 되고 혹시 잡더라도 반드시 물속에서 풀어주어야 해.

- 상어가 무서울 텐데. 지금도 섬에 사람이 살고 있나요?

- 17, 8세기 전까지는 팔라우인의 정착촌이 있어 사람이 살았지만, 지금은 살지 않아. 단지 문화적이거나 휴양을 위해 이곳의 자원을 이용하고 있어. 그렇지만 3000년 동안의 마을의 유물이나 묘지 유적, 조개무지, 방어용 성벽, 암각화 같은 공동문화 유적이 게안게스, 게룩타벨, 코메도클에 남아 있어.

- 아, 그래서 복합문화유산 지역이구나. 세계자연유산도 있고, 세계문화유산

도 있고. 그런데 사람들이 살기 어려운 문제가 있었나 봐요.

- 마을이 폐허로 버려진 것은 기후가 변하거나 인구가 늘어나는 등 이유가 있겠지만 아마도 이 환경에서 먹고사는 데 어려움을 느껴서일 거야. 그래도 후손들은 신화, 춤, 전설, 속담 등 구전 전통을 그대로 이어가고 있어. 예전 고향의 풍경과 바다 경치에서 고향의 경치나 풍경에서 만들어진 지명을 사용하고 있고.

- 여기 암각화도 있네요. 울산의 암각화도 세계문화유산에 등재하려고 애쓰고 있잖아요.

- 좀 늦었지. 지속적인 침수와 노출로 훼손되고 있어. 가장 오래된 고래사냥 암각화인데 2023년에야 겨우 세계유산 '등재신청 후보'로 선정됐어. '잠정 목록'에 오른 지 14년 만이고, '우선 등재 목록'에 선정된 지 3년 만이고. 각설하고, 에일 말크섬 젤리 피쉬 호수로 가보자. 호수에 들어가 수영할 때는 모래를 털고, 선크림도 지우고, 연약한 해파리가 다치지 않도록 조심해야 해.

- 사람들이 많이 와요? 해파리에 쏘이지는 않나요?

- 스노클링이나 다이빙하려는 사람들이 많이 와. 작은 해파리부터 큰 해파리까지 바다에 사는데, 호수에 갇혀 살아서인지 독성을 잃어버렸어. 가자, 금빛 해파리가 몽글몽글 살아있는 곳으로.

- 가까이 가서 만져도 돼요.

- 그래. 부드럽게 만져도 되는데 손가락으로 찌르면 안 돼. 구멍이 난 해파리는 생명이 위험해져.

4. 그레이트 배리어 리프 (오스트레일리아)

우주에서도 보이는 산호초

- 여기서 문제. 이것은 사람이 만든 구조물이 아닙니다. 살아있는 생물이 쌓아 올린 구조물인데, 길이가 무려 2,000킬로미터가 넘어요. 한반도 정도의 크기인데 유네스코가 지정한 것 중 가장 큰 세계유산입니다. 세계 최대의 산호초지대로 자연의 불가사의라고 할 수 있습니다. 최근 온난화로 사라질 위기에 처해있습니다. 답은 어디일까요?

- 음, 잘 모르겠는데요.

- 그레이트 배리어 리프. 큰 산호의 울타리라는 뜻이지. 호주 퀸즐랜드 주 해안에서부터 파푸아뉴기니 남부까지 이어진 산호초로, 우주에서도 산호 띠가 보인다고 해, 아직 가보지는 않았지만. 만화영화 <니모를 찾아서>에 나오는 '아네모네 피쉬', 불룩 튀어나온 이마가 나폴레옹의 모자를 닮아 이름 붙여진 나폴레옹 피쉬도 볼 수 있다고 하고.

- 아, 여기가 말로만 듣던 그레이트 배리어 리프네요.

- 다양한 크기의 산호초가 무려 760개나 되는데 모양도 가지가지야. 기다란 띠처럼 생겼는가 하면 평지 모양도 있어. 산호초가 이리저리 미로처럼 복잡한 가운데 약 618개의 섬이 있어. 숲이 우거진 높은 섬에서 열대우림의 작은 산호섬, 사주, 맹그로브 숲으로 뒤덮인 섬 등.

- 여기 사람이 산 흔적은 없어요?

- 있지. 자연유산뿐 아니라 문화유산으로도 가치 있는 곳이야. 힌친브룩 섬, 리저드 섬에 원주민들 유적지가 있어. 거대한 물고기 덫도 있고, 수많은 조개무지도 있어. 그뿐 아니야. 수준 있는 암각화도 여러 군데서 발견되었어.

- 아름다운 산호초지대에 동물들도 많이 살지요?

- 여기에 어류, 연체동물, 조류, 해면, 말미잘, 갑각류 등이 살아. 산호초가 400종, 그 속에 사는 어류가 1,500종, 연체동물 4,000종이나 되지. 호주 북동쪽 대륙붕에서 진화를 거듭하며 발달한 생태계 덕분이지.

멸종위기에 처한 푸른바다거북, 붉은바다거북 산란지로도 세계 최대규모이고, 먹이가 되는 거머리말이 대규모로 자라는 덕분에 멸종위기의 듀공도 잘 살고 있어. 그리고 바다의 꽃이라 불리는 부드러운 산호, 연산호가 전 세계 3분의 1이 살고 있어.

- 거머리말이 어떻게 생긴 건가요?

- 해조류 생각하면 미역, 김, 다시마를 생각하는데 거머리말은 바닷속에서 꽃을 피우고 열매 맺는 해조류 식물이야. 숲을 이루어 사는데 고기들이 여기 알을 낳고, 새끼들은 여기에 몸을 숨기기도 하고 식물에 붙어 플랑크톤을 잡아먹으며 자라지. 15종의 해초들이 자라 3,000킬로미터가 넘는 해초밭을 이루고 있는데 듀공뿐 아니라 연체동물, 성게, 거북, 어류도 먹여 살려. 오염물질을 흡수해서 바닷물을 정화하는 바다의 숲 기능도 하고.

- 연산호를 한번 보고 싶어요.

- 맨드라미처럼 생겼어. 그 밖에 스노클링하며 볼 수 있는 흰동가리, 지구에서 가장 큰 연체동물 대왕조개, 날개 길이가 최대 9미터에 이르는 쥐가오리, 사람 좋아하는 강아지처럼 쫄래쫄래 따라오는 마오리 놀래기, 감자를 닮은 '감자바리'라는 큰 물고기 등을 볼 수 있어.

- 상어는요?

- 상어도 당연히 있지. 50종이나 살고 있으니까. 흰 꼬리 산호 상어, 수염상어, 거북이와 혹등고래도 볼 수 있어. 여기서 암컷 고래들이 새끼를 낳아. 아

름다운 무늬가 있는 밍크고래도 있고.

– 그런데 산호는 뭔가요? 나무 같기도 하고, 풀 같기도 하고, 돌 같기도 하고.

– 쉽게 말하면 산호는 살아있는 동물이야. 강장, 입, 촉수가 있는 자포동물인데, 작은 폴립이 만든 군체야. 우리가 아는 산호초는 산호의 분비물과 골격이 쌓여 생긴 암초야. 여러 종류가 있는데 섬이나 육지 주변에 발달하면 거초, 해안에서 떨어져 해안선과 평행하게 발달하면 보초, 환초는 섬이 가라앉고 그 둘레에 둥글게 남아 있으면 환초! 그런데 말이야. 놀라운 일이 있어.

– 쉽게 말하면 산호는 살아있는 동물이야. 강장, 입, 촉수가 있는 자포동물인데, 작은 폴립이 만든 군체야. 우리가 아는 산호초는 산호의 분비물과 골격이 쌓여 생긴 암초야. 여러 종류가 있는데 섬이나 육지 주변에 발달하면 거초, 해안에서 떨어져 해안선과 평행하게 발달하면 보초, 환초는 섬이 가라앉고 그 둘레에 둥글게 남아 있으면 환초! 그런데 말이야. 놀라운 일이 있어.

– 산호초 말인가요?

– 응. 매년 11월, 12월 보름달이 뜨는 밤이면 산호 수백만 개가 동시에 산란해. '거꾸로 휘날리는 눈보라'라고 불러. 약속이나 한 것처럼 바닷속으로 쏟아내는 정자와 난자. 수정이 되면 새로운 산호초 군락이 만들어져. 새벽 4시~6시 사이, 물이 따뜻하고 보름달이 진 후라고 해.

– 산호가 죽는 일도 있어요?

– 응. 산호는 스스로 먹이를 구하지는 못하고 편모조류의 일종인 갈충조로부터 에너지를 얻으며 더불어 사는데, 수온과 환경에 민감한 갈충조가 산호를 떠나면 백화현상이 일어나 산호는 하얗게 죽음을 맞는 거지.

– 산불로 인한 기후변화와 해양오염 때문에 그럴 수도 있나요.

– 1995~2017년 사이에만 산호 절반이 죽었는데 어쩌면 몇십 년 뒤에는 우

주에서도 보이는 장관, 그레이트 배리어 리프가 사라질 수도 있을 거야. 과학자들은 지구온난화로 인해 어쩌면 2050년경에 산호초가 멸종될지도 모른다고 걱정하고 있어.

- 사람들이 많이 찾아오는 곳인데 어쩌지요?
- 자연유산으로 등재되고, 경관이 아름다워 인기가 높아. 그러나 허가를 받은 배만 타고 갈 수 있고, 정해진 곳에서만 물에 들어갈 수 있어. 케언스 부근에는 산호초가 있는 바다에 들어가 수중을 헤엄치며 관찰할 수 있는 시설을 만들어 놓았어. 성수기는 6~8월의 겨울이야. 어디로 가든 기후가 다를 수 있는데 수영할 수 있을 정도로 물이 따뜻하고 잘 보이는 때가 좋아. 바다거북의 부화를 보려면 1월~3월 사이가 좋을 것 같고.
- 참 위험유산에 등재될 뻔했다고 하던데요.
- 아직도 진행 중이야. 유네스코가 이곳을 위험유산에 올리려는 것은 세계의 관심을 모아 최대의 산호생태계를 보호하려는 것인데, 2021년 11월에 호주 정부가 이를 거부했어. 한 해 수입 5조 원이 넘는 관광산업에 타격이 올까 두려워 그랬을까?

5. 동(東)렌넬 (솔로몬제도) 세계 자연유산 위험지역 : 테가노 호수

- 이제 남태평양의 솔로몬제도로 가보자
- 솔로몬이요? 성경과 탈무드에 나오는 지혜의 왕 솔로몬요?
- 맨 처음 이곳을 발견한 사람은 스페인의 알바로 데 멘다나. 남태평양 항해 도중에 사금이 풍부한 섬을 발견하고 솔로몬왕의 이름을 따

서 솔로몬이라고 했지. 992개 이상의 섬이 대각선으로 길게 뻗은 열도의 나라로 여행객들에게 인기가 많아. 해변이 있는 휴양지가 아니라 무성한 열대우림, 화산과 작은 섬, 거대한 석호 등 자연 그대로의 모습이지.

- 그곳에 사람들이 살지 않았나요?

- 원래 살던 사람들은 검은 머리에 검은 피부를 가진 멜라네시아인들로 지금도 인구 대부분을 차지하고 있어. 멜라네시아는 검은 섬들이라는 뜻이야. 이곳에는 진짜 원시마을이 있는데 일부러 보존한 것이 아니라 현대적인 삶을 살던 사람들이 모로운동을 통해 만든 공동체지. 자발적으로 전기를 비롯한 문명을 배제하고 자급자족하며 살아가는 곳이야.

- 오, 세상에 이런 일이.

- 우리가 가는 곳은 솔로몬제도의 제일 남쪽 렌넬섬 동쪽 지역으로, 수도가 있는 과달카날섬에서 180킬로미터 떨어진 곳이야. 산호섬과 다양한 동식물 서식지로 이름 높은 곳이지. 솔로몬제도 대부분의 섬이 화산섬인데, 이곳은 규모가 좀 작지. 가운데 꺼진 부분에 타원형의 호수가 있고, 둘레를 솟아오른 석회질 산호초 둥글게 에워싸고 있는 환초야. 참, 솔로몬제도 사람들은 우리처럼 세 끼를 먹지 않고, 배가 고플 때 음식을 간단히 먹는다고 해. 질문을 할 때는 눈썹을 잘 보아야 한 대. 눈썹을 위로 올려야 예스의 뜻이라고 하는구나. 또 사람이 죽으면 상어나 파충류, 새로 환생한다고 믿는데 상어를 조상으로 믿고 숭배하는 의식을 행하는 사람들도 있대.

- 불교에서 말하는 윤회하고 언뜻 비슷하네요. 다음 생에 개나 벌레

로 태어난다는 얘기하잖아요.

- 렌넬섬이 바닷속에서 솟아오른 환초 중 가장 크다면 테가노 호수는 태평양 섬에 있는 호수 중 가장 큰 거야. 이 호수는 특이하게 바닷물과 민물이 섞여 있는 기수호야. 그 안에 고사리로 덮인 석회암 섬이 여러 개 있고 바다와 민물에 사는 동식물이 살고 있지.

- 그러면 민물고기와 바닷물고기가 같이 살아요?

- 아래쪽에는 비중이 큰 바닷물이 위쪽에는 민물이 흐르거든. 대표적인 민물고기로 갈색 구굴무치, 태평양 뱀장어가 살아. 바닷물고기로는 열대성 대형 어류인 청베도라치와 날치가 살고. 호수 주변에는 파충류도 여러 종 살아. 그중에 동렌넬에서 독자적으로 진화한 크로커 바다뱀은 맹독성이라 조심해야 해.

- 생각만 해도 무서워요.

- 뱀의 독은 방울뱀보다 10배나 더 강하지만 건드리지만 않으면 물지 않는다고 알려져 있어.

- 과학적 연구의 자연실험실이라고 부르는 이유는 뭔가요?

- 서태평양 여러 동식물 종의 이동이나 진화에서 이 섬이 징검다리 역할을 해주고 있고, 자주 불어오는 사이클론의 영향을 연구하는 데 중요하기 때문이지.

- 섬에는 어떤 식물이 살아요?

- 고온다습한 열대성 기후라 고유종 생물이 다양한데 특히 조류가 많이 살아. 우선 카르스트 지형에서는 작은 나무들이, 내륙에는 키가 큰 나무들이 자라고, 호수 주변에는 렌넬 난초, 렌넬 판다누스, 호수 판다누스 등 10여 종의 해안 식물이 분포하고 있어. 그런데 사이클론

영향으로 렌넬섬 나무들이 다른 솔로몬제도에 있는 섬의 나무들보다 좀 키가 작아. 주기적으로 몰아치는 강력한 태풍 때문이야.

- 동물이나 사람들도 많은 피해를 입지 않아요?

- 피해를 입지 않고 살 수는 없지. 우리나라에 태풍이 왔을 때 생각하면 될 거야. 일단 다양한 동물이 살아. 육지 달팽이 27종, 새, 박쥐 11종, 곤충 731종이 발견되었어. 렌넬비둘기, 르넬찌르레기, 렌넬 큰박쥐 같은 고유종이 살아. 폴리네시아계 원주민들은 약 800명 정도 되는데 숲에서 나는 자원으로 집을 짓고, 낚시나 사냥을 하고 농사도 지어. 그런데 말이야.

- 아니, 무슨 말씀을 하시려고?

- 인간이나 외래종에 의해 생태계가 교란되지 않고, 잦은 사이클론에 적응한 모습으로 인해 1998년 세계자연유산에 지정되었는데 말이야.

- 그래서요?

- 개발을 위해 섬의 서쪽 숲에서 시작한 무분별한 벌목이 동쪽까지 영향을 주었어. 그뿐 아니야. 해수면 상승으로 테가노 호수의 수위가 변하더니 염분이 증가하는 심각한 상황이 됐어. 생태계에 나쁜 영향이 될 게 불을 보듯 뻔하거든.

- 수면이 높아진 이유는 뭘까요?

- 응. 과거에 수면이 높아지는 일은 있었다고 해. 그런데 건기임에도 불구하고 수면이 빠르게 상승하는 것은 이전에는 없던 일이래. 결국 동렌넬은 2013년에 위험에 처한 세계유산이 되었어.

- 지금은 생태계가 회복되었나요?

- 아니. 2019년에 사이클론을 만난 벌크 운반선이 좌초되어 80톤가

량의 기름이 유출되는 사고가 있었어. 배에 남은 기름을 회수하고, 주민들이 우리나라 태안 기름유출사고 때처럼 유출된 기름을 제거하는 작업을 했지.

6. 피닉스제도 보호구역 (키리바시) 해수면 상승으로 물에 잠기고 있는 곳

- 세계에서 제일 먼저 새해를 맞는 나라는 어디일까?
- 제가 알기로는, 우리나라에서 제일 먼저 해가 뜨는 곳은 울산 간절곶이지만, 세계에서 가장 먼저 뜨는 곳은 잘 모르겠는데요.
- 남태평양의 섬나라 키리바시의 피닉스제도가 아닐까 싶어. 왜냐하면 날짜 변경선에 가장 가까이 붙어 있으니까. 날짜변경선 지도를 보면 본초자오선 말고, 이마, 코, 그 밑에 입 안처럼 쏙 들어간 부분이 바로 키리바시야.
- 아하, 거기 말이군요.
- 원래는 그 모양이 아니었는데 1995년에 동쪽으로 꺾어 표준시를 바꾸었어. 나라 안에서도 날짜가 달라서는 곤란하거든. 그래서 날짜변경선 가장 동쪽에 있는 나라 키리바시는 세계에서 일출이 가장 빨라.
- 키리바시에 대해서도 알려주세요.
- 키리바시는 33개의 산호 환초와 섬으로 된 나라야. 육지는 얼마 되지 않는데 영토의 99%가 바다야. 지구의 동, 서, 남, 북에 걸쳐있는 4반구의 나라이기도 하고, 기원전부터 미크로네시아계 원주민들이 살았는데 1788년 해군 대령 토머스 길버트가 상륙한 후 이름을 길버트 제도라고 했어.

이후 영국 식민지가 되었다가 미국과 일본의 전쟁터가 되었다가 핵실험 장소가 되기도 했어. 베티오섬에는 2차 세계대전 사망한 수천 명의 미국, 일본인 병사 추모 기념비가 있어. 키리바시가 공화국으로 독립한 것은 1979년이었어.

– 험난한 현대사를 겪었군요.

– 응. 키리바시는 길버트 제도, 라인제도, 피닉스제도로 이루어져 있는데 산호섬으로 이루어져 농사짓기가 어려워. 한때는 길버트제도의 바나나섬에서 인광석을 채굴하면서 좋은 시절을 보내기도 했어. 그러나 그것도 잠깐, 이것마저 고갈되면서 지금은 관광업, 수산업, 어업권 임대로 살아가고 있어.

– 키리바시는 한때 부자나라였군요.

– 맞아. 지금은 아니지만. 과거보다 지금이 중요하지. 그중 피닉스제도는 인간의 손길이 거의 닿지 않은 섬이야. 그야말로 자연 그대로의 환상의 산호섬이라고나 할까. 그런데 이 섬은 언제 잠길지 모르는 섬이야. 키리바시에서 가장 유명한 관광지가 크리스마스섬인데 현지 발음은 키리티마티야.

– 비슷하네요, 키리티마티.

– 세계에서 가장 큰 산호섬인데 커다란 물고기가 많이 잡혀 바다낚시로 유명한 곳이야. 청새치, 창꼬치, 참치, 돛새치, 80킬로그램이 넘는 무명갈 전갱이. 이밖에 희귀종 새, 산호초를 보기 위해 관광객이 몰려드는데 항공편이 늘 자리가 없대.

– 그 정도로 좋은 곳인가요?

– 좋은 곳이지. 10월 우기가 되면 섬의 숲에서 살던 붉은 뭍게 1억 마리

가 수정을 위해 동시에 해안으로 이동하는데 그 광경에 다들 넋을 잃을 정도야.

- 아마 섬이 온통 붉은 색일 것 같아요.

- 죽기 전에 봐야 할 절경이라 인기가 많은지 모르지만 내 생각에는 그곳이 곧 가라앉을지도 모르기 때문인 것 같아. 한정판 여행지인 거지. 우리 인생도 그렇잖아. 죽을 위기를 한 번 겪은 사람은 새로운 눈으로 세상을 보고, 의미 있는 삶을 살려고 애쓰잖아.

- 정말 물에 잠기게 될까요?

- 키리바시 평균 해발고도가 2미터 정도인데 기후변화로 인해 해수면이 상승하면 투발루처럼 물에 조금씩 잠기게 될 거야.

- 뭔가 좋은 방법이 없을까요?

- 지금 같은 속도로 해수면이 상승하면 2050년경에는 키리바시도 물에 잠기게 되고 국민들은 다른 곳으로 이주해야 하는, 기후난민이 될 거야. 그래서 투발루 바로 위쪽에 위치한 키리바시 대통령 아노테 통이 큰 결단을 내렸어.

- 어떤 결단인가요?

- 가만히 앉아 물에 잠기는 대신 원양어선 입어료라는 이익을 포기하고 섬을 해양공원으로 설정하고 어획이나 채굴을 금지했거든. 그 결단으로 인해 세계자연유산을 지키는 데 일조하며 노벨평화상 후보로 오르내리는 분이 되었어.

- 그러니 섬에 대해 더 궁금해요.

- 피닉스제도는 8개의 섬으로 이루어져 있어. 버니섬, 캔턴섬, 니쿠마로로환초, 맨라섬, 오로나환초, 라와키섬, 엔더베리섬, 매킨섬. 그런데 캔튼 섬

외에는 사람이 살고 있지 않아. 섬이 고립된 덕분에 인간이 접근하기 힘들어 자연 그대로 남아 있어 특별한 곳이야. 플랑크톤이나 동식물에게 징검다리 역할을 해주는 섬인데 상어와 바다거북, 대왕조개, 야자집게, 바다새가 살고 있어. 바닷속에도 514종의 암초 물고기도 살아가고 있고.

- 피닉스라는 이름은 어떻게 붙였어요? 불사조를 뜻하는데.

- 그래? 매력적인 이름이네. 사이클론의 안전한 피난처여서 그랬나. 아니면 1840년대 무렵부터 부근 해역을 자주 드나들던 포경선 이름이 피닉스여서 그랬나. 그것도 아니면, 미국과 영국이 이 산호섬을 비행기 기착지나 미사일 기지로 사용하면서 그랬나.

- 아이 참, 아빠는. 혹시 유리 문어라고 들어본 적이 있어요?

- 아니.

- 아빠도 모르는 게 많구나. TV에서 보았는데 피닉스제도 심해에서 발견된 이 유리 문어는 온몸이 투명해요. 내장이 다 보여요. 시신경이나 다 보여요. (슈미트해양연구소)

- 사람으로 치면 투명인간이나 다름이 없네.

7. 누벨칼레도니섬의 석호 : 다양한 산호초와 생태계 (프랑스)
세계에서 가장 아름다운 산호 군락지

- 아빠가 좋아하는 섬에 도착했네요. 누벨칼레도니.

- 나만 그러는 게 아니야. 꽃보다 남자라는 드라마 본 사람은 다 좋아하지. 낙원에서 가장 가까운 섬이라는 별명이 있으니까. 일본 작가가 이 제

목으로 소설도 썼어.

- 누벨칼레도니라는 이름은 어떻게 생겼나요?

- 1774년 영국의 제임스 쿡 선장이 유럽 사람으로는 처음으로 이 섬을 발견했는데, 스코틀랜드와 비슷하다는 생각이 들었나 봐. 그래서 로마인들이 스코틀랜드를 가리키던 칼레도니아라는 말에 뉴(NEW)를 붙인 거지. 프랑스령이 되면서 누벨칼레도니가 되었고.

- 산호초가 있는 바다는 에메랄드빛, 아니 뽕따 아이스크림 색처럼 너무 이뻐요. 물속에 들어가면 아쿠아리움에 들어간 것처럼 열대어도 보고, 거북이나 고래도 보고. 사람들이 스쿠버다이빙이나 스노클링하는 이유를 알겠어요.

- 누벨칼레도니 군도는 생태계와 산호초를 비롯한 6개의 해양구역을 포함하는 해양유산이야. 호주와 뉴질랜드 사이에 바게뜨 빵모양처럼 길게 생긴 나라인데 라 그랑 드 떼르'를 비롯해 일데뺑, 우베아, 마레, 리푸 등 4개 섬으로 이뤄져 있고. 대륙에서 동떨어져 살아온 탓인지 보호해야 할 자연유산이 많아.

- 사람들의 손길이 닿지 않아 보전된 거군요.

- 그래. 다양한 동물, 거대 육식 동물과 큰 물고기들이 석호에 온전히 살고 있어. 얼마나 다양한 야생동식물이 살고 있는지 마다가스카르를 능가할 정도라고 해.

- 섬에 대해 알고 싶어요.

- 우베아 섬은 천국에 가장 가까운 섬으로 불리는데 사람이 살지 않는 무인도야. 물리다리를 건너가면 물속이 훤히 보이는 몰리 해변이 나타나. 물도 따뜻해서 금방 들어가고 싶어져. 전통 마을도 있어. '꺄즈'라는 전통

가옥에 사는 '카낙'이라는 원주민을 만날 수도 있어. 장작불 위에 돌을 얹어 요리하는 부냐라는 멜라네시아 방식의 요리를 접할 수도 있고

— 누메아, 아메데섬은요?

— 수도 누메아는 도시 전체가 숲이야. 프랑스 문화와 멜라네시안 문화가 결합되어 프랑스의 작은 니스로 불리고, 아메데는 누메아에서 가까운데 멀리서 보면 56미터의 하얀 등대가 보여. 1862년 나폴레옹 3세가 왕비 생일을 위해 리골레트에게 설계를 의뢰해 세운 등대야. 247개의 나선형 계단을 올라가면 천국의 모습이 제대로 보여. 섬을 둘러싸고 있는 아름다운 산호 띠를 볼 수 있거든. 호수처럼 변한 석호와 섬처럼 솟아 있는 피톨, 산호 가루 때문에 더 깨끗하고 화사한 바닷속에는 형형색색의 열대어가 노닐고, 과연 환상의 섬이지.

— 일데팽은요?

— 원주민들은 쿠니에(태양의 섬)라고 부르지만, 프랑스어로 소나무섬(Ile des Pins)이야. 지구상의 19종 아로카이아 소나무 가운데 13종이 이 섬에만 있어. 우리가 아는 소나무와는 달라. 해안선을 따라 나 있는 아로카이아 소나무들은 가느다랗고 부드러운 잎을 달고 있어. 어른 팔길이 정도로 짧고 가지가 퍼져 있지도 않고. 참, 일데팽에서 아이스크림을 주문하면 거대한 진주조개 껍데기에 담아 와.

— 우와, 거기 아이스크림도 있었네요. 블루리버파크는요?

— 희귀식물이 모여 있는 생태학의 보물창고 같은 곳이야. 식생이 특이한데 맹그로브숲이 있는가 하면 마른 숲이나 열대우림, 사바나 지역도 있어. 여기 이름을 '포레 누와이에'라고 하는데 '잠긴 숲'이라는 뜻이야. 2억 2,000만년 전 지구에 출현한 아로카이아나무, 수백 년 이상 된 카오리나

무를 비롯해 4만여 종의 식물이 살아. 카오리나무는 전 세계에 10종이 사는데 여기에 5종이 살아.

- 석호에 대해 좀 더 알려주세요.

- 석호는 영어로 라군(lagoon)이고 한자로는 석호(潟개펄석 湖호수호)인데 사주(파도가 쌓아 놓은 모래 둑)나 산호초에 의해 바다와 격리된 호수를 말한단다. 여기는 세계 3대 산호초 군락지에 속하는데, 뉴칼레도니아 배리어 리프는 길이가 자그마치 1,600킬로미터야. 그레이트 배리어 리프 다음으로 길어. 화석이 되어버린 고대 산호초부터 지금도 여전히 성장하는 조초산호까지 연령대도 다양해. 거초부터 환초까지 여러 가지 형태가 다 있어.

- 산호초에 대해 들어도 자꾸 궁금한 게 생겨요.

- 산호는 해파리나 말미잘처럼 촉수를 가진 자포동물이라는 건 이야기했지. 야행성이라 외골격 안에 있다가 밤이 되면 촉수를 휘둘러 갑각류, 동물성 플랑크톤, 물고기 등을 기절시켜 잡아먹지만 대부분 은 촉수에서 자라는 편모조류의 일종인 갈충조(주산셀라)가 광합성으로 만든 영양분으로 살아. 산호초는 산호의 분비물과 골격이 쌓여서 생긴 암초야. 그것이 섬이나 육지 주변에 생기면 거초, 섬이나 육지에서 떨어지거나 평행하게 발달하면 보초, 섬이 가라앉고 그 둘레에 둥글게 남으면 환초야.

- 이제 좀 알 것 같아요.

- 바닷물이 환상적인 이유는 산호초의 죽음과 관련이 있대. 산호초가 죽고 난 후 하얀 가루에서 그 빛이 나온다는 거야.

  - 그렇군요.

- 혹시 하트 모양을 한 습지 사진을 혹시 본 적이 있어? 아주 유명해. 맹그로브 숲이라고 할 수 있는데 석호로 둘러싸여 있어.

- 정말요? 그런 곳이 있어요?

- 응, '부크'라고 불리는 습지인데, 사실은 꽃보다 남자에서 나왔던 곳이 거기 하트섬이야. 애완용으로 기르는 크레스티드 게코 도마뱀도 여기가 원산지야.

8. 로드 하우섬 등 (오스트레일리아)   자연의 파라다이스

- 여기를 가려고 생각하니 갑자기 저 멀리 동해 바다가 생각난다. 외로운 섬 말이야. 한 점 섬 울릉도라는 시를 지은 유치환 시인도 생각나고.

- 아, 그렇죠. 로드하우 제도가 태즈먼 해의 외딴섬이지요.

- 유치환 시인은 독도에 대한 시도 지었어. 저주가 있지 않은 다음에야 어찌 독도를 절해에 있게 했을까 하는 시야. 로드하우 제도도 호주 시드니에서 700킬로미터 떨어져 사람의 손이 거의 가지 않은 섬이어서 새들의 고향이라는 생각이 들어. 가는 곳마다 새 소리가 들리거든. 지금도 주민이 300명밖에 살지 않고 희귀한 동식물이 살고 있어 '자연의 파라다이스'라고 불리기도 하고.

- 저주라고 하기엔 가슴 아프고, 새들의 고향이라는 표현이 마음에 들어요. 새들은 어디서 사나 했는데 사람이 없는 곳에 사는군요.

- 그래, 여기는 경치가 아름답기도 하지만 바닷새 군락지가 있어. 번식을 위한 최적의 장소를 제공해 주니까. 멸종위기종 보존을 위해서도 중요한

서식지인데 한 번도 들어본 적이 없는 새 이름도 많아. 프로비던스슴새, 붉은발슴새, 케르마덱슴새, 검은발슴새, 쐐기꼬리슴새, 작음슴새. 아, 숨차다.

- 그런데 모두 새 이름에 슴자가 들어가요.

- 음 슴슴하지 않구만. 섬은 해저2000미터 이상의 화산활동으로 이루어졌어. 초승달 모양으로 생겼는데 남북으로 10킬로미터, 너비가 2킬로미터 정도로 작아. 머튼 버드 제도와 세일락, 애드미럴티 제도, 블랙번섬, 가워섬, 볼스 피라미드섬 등 작은 섬과 암초로 이루어져 있고.

- 지금도 화산활동이 있어요?

- 그건 아니고. 마지막 화산활동이 있은 후 지금은 파도가 해안에 있는 절벽들을 깎는 해안침식이 진행되는 중이야. 해발 875미터의 가워산과 해발 777미터의 리드그버드산이 툭 불거져 있고, 남서쪽에는 남반구에서 가장 잘 보존된 산호초가 6킬로미터나 이어져 석호를 에워싸고 있어.

- 다른 지역 산호초와 다르다고 하지 않았던가요?

- 북쪽의 난류 산호초와 좀 달라. 홍적세부터 지금까지 조성된 것인데 난류와 한류가 만들어 내는 독특함이 더해져 450종의 어류와 90종의 산호가 서식하고 있어.

- 아, 산호초 맑은 바다에서 물고기들과 스노클링을 했으면 좋겠어요. 바닷속 풍경도 감상하고.

- 응. 좋아. 다이빙도 하고 말이지. 자, 각설하고, 썰물 때 모습을 드러내는 엘리자베스리프와 미들턴리프 주변에는 은대구, 나비고기, 놀래기가 살고 있어. '더블헤더'라는 청회색에 머리 부분이 튀어나온 물고기도 바위나 산호초 부근에 살아.

- 더블헤더라니 좀 웃겨요. 야구에서 두 경기 몰아서 할 때 하는 말이잖 아요.

- 머리가 두 개처럼 보여서 그런 이름이 붙었을까. 구릉을 이룬 섬은 밀림인데 여기에도 219종의 식물이 분포하고 있어. 새들도 129종이나 사는데 사람을 두려워하지 않아 가까이서 볼 수도 있어. 여기를 최대 번식지로 삼은 붉은꼬리열대새가 있고, 고유종으로 쐐기꼬리슴새, 흰배쇠바다제비, 긴부리흰눈썹뜸부기, 작은얼룩가마우지가 있어. 천적이 없었던 탓인지 우드헨은 날개가 있어도 날지 못해 사람들이 마구잡이로 잡아 지금은 멸종위기종이 됐어.

- 섬은 언제 발견되었나요?

- 이 섬이 처음 목격된 것은 1788년 헨리 리드버드 볼에 의해서였는데, 19세기 작은 거주지가 건설되고 고래잡이 공급항이 되었다가, 공기정화 능력이 있다고 알려진 켄티야 야자나무의 수출이 시작되는 역사가 이어졌어. 원주민은 폴리네시아계이고 코코야자를 재배하며 살고 있어.

- 켄티야 야자나무요?

- 섬의 고유식물 중에서 가장 잘 알려진 식물이야. 야외와 실내에서 잘 자라는 장식용 야자로 쭉 뻗어 올라가는 줄기를 보면 절로 시원한 기분이 들어. 게다가 건조한 대기, 낮은 온도, 적은 양의 빛에도 잘 자라라. 어쩌면 섬의 온화한 기후가 진화를 부추긴 탓일 거야. 연간 수출은 막대했어. 관광을 제외한 섬의 주요 산업이 되었는데 수익은 섬의 생태를 개선하는 데 쓰였어.

- 쥐 박멸 작전은 뭔가요?

- 내가 먼저 질문 하나 하자. 쥐가 섬에 들어가려면 주로 어떻게 들어갈까?

- 사람이 몰래 호주머니에 넣어가지고 갈 리도 없고. 아, 알았어요. 배에 타고 있다가 몰래 내리는 거죠. 배가 가라앉기 전에 낌새를 채고 먼저 내리는 것도 쥐라고 하잖아요.

- 맞아. 이 섬에 쥐가 든 것은 1918년 무렵 어느 배가 섬에 도착하면서야. 섬에는 마침 천적이 없었고, 쥐는 고유종 곤충과 새들을 모조리 잡아 먹어버렸어. 그중에 머리 빨간 잉꼬, 로드 하우 찌르레기, 흰목 비둘기, 로드 하우 뉴질랜드 솔부엉이가 있어. 그런데 2017년 10월, 멸종한 줄 알았던 곤충 로드 하우 대벌레가 다른 섬에서 발견되면서 로드 하우 섬 위원회에서 쥐 멸종 계획을 짰어. 쥐를 살려둔 상태에서 멸종위기종을 데려오는 것은 불가능하다는 것을 깨달았기 때문이지.

- 쥐가 그렇게 무서운가요?

- 그렇다기보다는 새알도 먹는 쥐에게 가재를 닮은 덩치 큰 곤충, 로드 하우 대벌레는 금방 먹혀버릴 게 틀림없었거든. 그저 간식일 뿐이었지. 실패할 확률도 많았지만, 위원회는 섬에 헬리콥터를 이용해 독극물이 든 시리얼을 살포하기로 했어. 이번이 마지막 기회라고 생각한 거지.

- 혹시 볼스 피라미드라는 뾰족한 바위에서 발견되지 않았나요?

- 볼스 피라미드는 산호초 위에 떠 있는, 세계에서 가장 높은 해상 화산 바위야. 로드 하우 대벌레는 가장 큰 벌레인데 날지는 못해. 몸길이가 12센티나 되거든. 1920년대 멸종된 것으로 생각했는

데 1960년대 볼스 피라미드에서 사체가 발견되었고. 2001년에 4마리 생존 보고 지금은 20마리가 살고 있어.

- 또다시 멸종위기종이 될까 두려워요.

- 산호초가 우거지고, 깨끗하고 아름다운 바닷속 물고기를 오래오래 구경하려면 다른 방법이 없어. 보호하고 보존하는 수밖에. 섬에서도 한 번에 최대 관광객을 400명으로 제한하고 있어.

9. 뉴질랜드 남극 연안 섬 (뉴질랜드) 이보다 더 혹독한 기후일까

- 드디어 펭귄을 만나는군요.

- 그만큼 춥다는 말도 될 거야. 한국과 비슷한 경도에 자리잡고 있고, 남반구에 위치해 있어서, 우리나라가 여름이면 뉴질랜드는 겨울이야. 그런데 기온이 많이 내려가지 않는데도 추워. 습도가 높아서 너무 추워.

- 우리가 가는 뉴질랜드 남극 연안섬은 더 추워요?

- 응, 맞아. 뉴질랜드 남섬에서 200킬로미터 떨어진 곳에 있어 사람이 살기 힘들 정도야. 뉴질랜드 본토 마오리족이 15세기쯤에 여기에 정착한 흔적은 있는데 혹독한 기후로 인해 철수했고, 1995년까지 있던 뉴질랜드 정부 연구 기지도 역시 철수해 버렸어.

- 그래서 지금까지 사람이나 외래종 침입 없이 고유한 동식물이 생태계를 이루고 살았던 거군요.

- 뉴질랜드 남동쪽 해안 5개 제도로 이루어져 있는데, 오클랜드,

바운티, 스네어스, 안티포데스, 캠벨 섬에 일 년 내내 폭풍이 몰아치는 혹독한 날씨가 이어져. 일 년 중 300일은 비가 내리고, 바람은 최소 시속 29킬로미터로 불어. 포효하는 40도, 사나운 50도라 불리는 해양 폭풍 지대지. 위치는 정확하게 경도 165와 179도 사이, 위도 47도와 52도 사이야. 어쩌면 그것이 생명을 더욱 치열하게 살게 하는지 모르지. 우리도 환경이 열악할수록 더 열심히 살게 되잖아.

- 맞아요. 세계 각지를 떠돌던 유대인을 봐도 그래요. 그보다 더 열심히 살기는 어렵지요.

- 아열대와 남극 사이, 망망대해에 외롭게 떠 있는 생명의 오아시스라고나 할까. 사람이나 외래종에게 간섭도 받지 않아 풍부한 동식물이 살아. 펠릭스 바다새가 둥지를 틀고 있고, 펭귄은 수도 많고 다양하게 살아. 총 126종의 새들이 사는데, 바닷새가 40종이고, 세계 어느 곳에도 없는 5종이 여기서 번식해.

- 바닷새와 펭귄이 사는 이유가 있군요.

- 노란눈펭귄이나 뉴질랜드바다사자 같은 희귀동물도 볼 수 있어. 노란눈펭귄은 다른 펭귄과 달리 몇 마리만이 무리 지어 해안 숲에 둥지를 만들고 수영을 즐기는데, 전 세계적으로 4,000마리 정도밖에 남지 않았어. 후커바다사자라고도 부르는 뉴질랜드바다사자는 여기서 95%가 번식해. 그뿐 아니야.

- 세계에서 가장 희귀한 물개 말이군요. 고래도 있지요?

- 응. 고래들이 회유하는 경로에 있는 오클랜드 제도에는 100마리 이상의 긴수염고래가 해마다 6월부터 9월 사이에 여기 포트로스를

찾아와.

- 외부와 고립되고 사람의 손길이 닿지 않는 곳에 귀한 것들이 남아 있군요.

- 바로 앞에서 바닷새 이야기했는데 이제 앨버트로스 이야기를 해보자. 세계에 앨버트로스가 24종이 있는데 이 제도에 10종이 살아. 번식하려고 오클랜드 제도에 모이는 나그네앨버트로스, 흰머리앨버트로스는 세계 최대규모야. 캠벨섬도 로열 앨버트로스 최대 번식지로 알려져 있지. 참, 스네어즈 섬에 회색슴새가 6백만 마리가 살아.

- 슴새요?

- 우리에게는 봄을 알리는 바닷새로 알려져 있어. 멀리 떨어진 섬에 산다고 해서 '섬새'라고 했다가 나중에 슴새가 되었지. 머리는 흰색 바탕에 검은 줄무늬가 있는데 다리는 연분홍색이고 물갈퀴가 있어. 부리가 갈고리 모양으로 굽어있고.

- 섬에 특별한 식물이 있다고 들었어요.

- 이곳은 지구상에서 제일 남쪽에 있는 숲이야. 수종은 적지만 숲에 바닷새들의 군집이 만들어져 있어. 고유종 6종, 희귀종 30여 종을 포함해 200종의 식물이 자라고 있어. 특히 오클랜드에는 꽃과 잎이 생각지 못하게 크고 화려해서 거대초본이라고 불리는 식물이 살고 있어. 매쿼리섬 양배추로 알려진 아조렐라 폴라리스, 다년생 메가허브 스틸보카르파 로브스타가 있지. 그리고 여름에 분홍, 노랑, 파랑꽃을 피우는 플루로필룸 3종이 있지. (뉴질랜드 5달러 지폐에도 나오는 캠벨 아일랜드 데이지도 포함해서)

- 한 번도 본 적이 없어요. 만화에서나 보았지.

- 오클랜드 제도 남쪽에는 '남부라타'라는 도금양과 교목이 우거진 숲도 있어. 진홍색 꽃에 높이가 15미터까지 자라는 나무지. 스네어즈섬에는 높이가 5미터나 되는 국화과 식물 트리 데이지(올레아리아 리알리)숲이 있고, 캠벨제도에는 수령 110여년 정도에 높이가 9.1미터인 가문비나무도 있어. 기네스북 협회에서 '세계에서 가장 외로운 나무' 타이틀을 받은 나무야. 혹독한 날씨에 주위에 바다뿐이라 220킬로미터 반경에 유일하게 존재하는 나무였거든.

- 세계에서 가장 외로운 유산이군요.

- 이 자연유산을 보호하려고 당국에서는 얼마나 많은 노력을 기울이고 있는지 몰라. 모두 무인도지만 연간 방문객 수를 엄격하게 제한하고 있지.

- 관리 당국이 정한 규칙이 있군요.

- 섬을 방문하는 모든 방문객은 허가를 받아야 하며, 관리당국이 정한 규율을 준수해야 해. 야광 조명 제한, 관광지에 화장실 등 편의시설 제한 등은 물론이고, 야생동물에 5미터 이상 가까이 가지 말 것. 야생동물에 가까이 갈 때는 반드시 몸을 웅크릴 것.

- 자연유산 보존에는 늘 사람, 관광객이 문제가 되는군요.

10. 매쿼리섬 (오스트레일리아) 로열 펭귄

- 매쿼리섬 보이지?

– 아니요, 안 보이는데.

– 세로로, 가늘고 길쭉한 섬 안 보여? 바람이 강하게 불어 나무는 자라지 못해 초원이 발달했어. 이 섬은 인도-오스트레일리아판과 태평양판이 만나는 지점에 있는데 다른 섬처럼 빙하나 화산활동으로 생긴 게 아니라 지구의 맨틀이 움직이면서 해양지각 6.5킬로미터 밑에 있던 암석이 해수면 위로 나타나서 만들어진, 세계적으로 특별한 곳이야.

– 아, 저기요.

– 일 년 365일 중 305일 동안 비가 내리는 곳, 편서풍이 몰고 오는 두꺼운 구름 때문에 일 년에 3일만 햇빛이 보이는 곳이지. 지금도 10년 단위로 리히터 규모 7이나 8 규모의 지진이 일어나 진화를 계속하는 섬이기도 하고, 지금까지 한 번도 성장을 멈춘 적이 없어.

– 섬이 커지나요?

– 매년 0.08센티미터씩 성장하고 있어.

– 이런 곳에 자연유산이 있어요? 동물이 살 수는 있나요?

– 그래도 해안 단구에 어마어마하게 많은 임금펭귄이 무리지어 있거나, 코끼리바다표범들이 섬 북쪽 넓은 모래 해변에서 노는 모습을 보면 입을 쩍 벌릴걸. 새들도 많아. 앨버트로스를 비롯해 72종이나 되는데 그중에 고유종이 많아 학자들이 연구하고 있어.

– 앨버트로스요?

– 이 섬에 200쌍 정도의 회색머리앨버트로스, 10쌍의 나그네앨버트로스를 비롯해 앨버트로스 4종이 살아.

– 좀 더 자세히 말씀해 주세요.

– 매쿼리섬, 비숍섬, 클라크섬 가파른 절벽에 둥지를 틀고 바람을 타고 날아

오르는 앨버트로스는 펼친 날개 길이가 3미터가 넘어. 가장 멀리, 오래 나는 새라고도 하는데 한 번에 5,000킬로미터까지 날아갈 수 있어. 둥지를 떠나 바다 여행을 시작해 몇 년 동안 날기도 한다는 새야.

- 어떻게 이런 새를 제가 몰랐을까요?

- 보들레르라는 시인의 '악의 꽃'이라는 시에 등장해 유명해진 새이기도 해. 몸통에 비해 큰 날개, 물갈퀴 달린 작은 발 때문에 뒤뚱뒤뚱 걷는 바람에 바보새라고 놀림 받기도 하지만 거친 바람이 불면 절벽에 자신을 세우는 자유로운 영혼이야. 우리말로는 '신천옹'이라고 해.

- 아, 나는 왜 지금까지 이런 새를 몰랐을까?

- 흐흐. 사람들은 앨버트로스가 날개를 파닥거리지 않고도 먼 거리를 나는 것을 보고 아마 비행기 만들 생각을 했을 거야.

- 여기 추우니까 펭귄이 살지요? 뉴질랜드 남극 연안섬에도 살았는데.

- 하하. 펭귄은 추운 곳이나 남극에만 살지는 않아. 남극에는 황제펭귄, 킹펭귄, 아델리펭귄, 턱끈펭귄, 젠투펭귄, 마카로니펭귄, 여섯 종류만 살아. 아프리카에는 아프리카펭귄, 남 아프리카에는 자카르 펭귄, 남아메리카에는 남아메리카펭귄이 살아.

- 여기에는 어떤 펭귄이 살아요?

- 가장 수가 많은 것은 로열펭귄인데 85만 마리 정도가 살아. 머리에 길고 더부룩하니 바람에 휘날리는 털, 노란 관모가 있어 다른 펭귄과 구별되지.

- 이 섬에 펭귄이 많이 산다고 들었어요. 키순으로 보면 어떤 펭귄이 가장 커요?

- 황제펭귄이 122센티미터로 가장 크지. 지구상에서 가장 크고 체중이 많이 나가는 펭귄이지. 그다음, 킹펭귄(임금펭귄)이 80~90센티미터. 황제펭귄과

비슷하지만 목 부분 무늬 색이 달라. 로열펭귄은 70센티미터 정도야. 그중 킹펭귄은 작은 물고기, 오징어, 크릴새우를 먹는데, 수컷은 알을 부화시키기 위해 겨울 105일에서 135일 동안 단식하면서 집단으로 모여 알을 부화시킨다는 사실, 놀랍지 않아? 사람은 며칠이 아니라 굶으면 하루도 참기 힘들어하는데.

– 따로 다이어트를 위해 단식할 필요가 없겠어요. 섬은 어떻게 발견됐어요?

– 향유고래를 잡으려고 돌아다니던 배가 폭풍을 만나면 이 섬에 피신하곤 했던 때였어. 지금도 길잡이고래, 북방긴수염고래가 여기 살고 있으니까. 1810년이었어. 처음 매쿼리섬을 발견한 사람은 바다표범 사냥꾼인 프레더릭 하셀보로인데 섬 이름을 뭐라고 할지 생각하다가 당시 호주 뉴사우스웨일스 주지사 이름을 따서 매쿼리로 부르기로 했어.

– 그래서 섬 이름이 매쿼리가 되었군요.

– 그렇지. 그런데 1810년 이후 사냥꾼들은 섬에 주기적으로 거주하면서 마구잡이로 물개와 바다표범을 잡았지. 동물들의 천국이 인간들의 사냥터로 바뀐 거야. 물개는 멸종되고 코끼리바다표범의 70%가 사라졌지. 특히 1870년대에는 기름을 얻으려고 킹펭귄과 로열펭귄을 닥치는 대로 잡아 수가 엄청나게 줄었지. 그런데 이 사람들이 식량을 위해 육지의 포유동물인 토끼를 들여왔는데 섬의 생태계를 망가뜨리는 결과를 가져왔어.

– 토끼가 섬을 망가뜨렸다고요?

– 1933년 호주 남극연구소가 섬의 생태계를 되살리려고 야생보호 지역으로 지정하고 갖은 노력을 기울이고 있을 때 토끼가 훼방을 놓았지. 섬의 식물이 남아나지 않을 정도로 번식한 거야. 그래서 당국은 토끼 개체수를 줄였는데 이번에는 토끼를 잡아먹던 들고양이가 먹을 게 부족해지자 토종 바닷새를 사

냥하기 시작한 거야. 결국 2014년 호주 당국은 토끼, 고양이, 쥐 모두를 섬에서 몰아냈지.

- 지금은요?

- 세계유산으로 지정되어 보호받고 있어. 영구적으로 거주하는 사람은 없고 연구소만 있는데 항구가 없어 들어가기 힘들어. 방문자의 수도 1년에 500명으로 제한하고 있는데 일반인이 관광을 위해 섬에 접근하는 것은 원칙적으로 금지하고 있어.

11. 샤크만: 상어가 많은 샤크만 (오스트레일리아)

- 섬 이름은 어떻게 지어진 거래요? 정말 상어가 많아요?

- 1699년 샤크만에 상륙한 영국의 무시무시한 해적 윌리엄 댐피어가 붙였다고 하네. 여행을 하다가 우연히 포악하고 무서운 상어부터 소심한 상어까지 28종의 상어가 득시글대는 곳을 발견한 거지.

- 상어가 버글버글해서 샤크만이라고 붙였군요.

- 그런 이유도 있지만 그는 해적답지 않게 호기심이 많은, 학자에 가까운 사람이었어. 영국에서 한 번도 본 적이 없는 식물을 채집하면서 야생동물에 대해서도 자세한 기록도 남겼어. 그것이 지금도 남아 있어.

- 상어가 많다고 이름 지으면 사람들이 겁나서 몰려들지 않을 거라고 생각한 거군요.

- 아마도 그런 것 같아. 덕분에 샤크만은 지금까지 청정구역으로 남았어.

- 지금 여기에는 어떤 상어가 살아요? 돌고래도 있지요?

- 검은 회색 줄무늬 덕분에 유명해진 포악한 뱀상어, 베이강남상어, 백상어, 귀상어, 최대 길이 20미터의 험악하게 생긴 고래상어를 볼 수 있어. 돌고래도 5,000마리 정도가 사는데 상어와의 싸움이 심심치 않게 일어나. 돌고래 30% 정도가 등에 상처가 있을 정도니까.

- 싸우면 돌고래가 잡아먹히거나 도망가는 게 아니고요?

- 꼭 그렇지는 않아. 돌고래는 작지만 빠르고 아주 힘이 세. 그리고 사회성이 강해서 대규모로 몰려다니기 때문에, 쉽게 당하지는 않아. 상어는 혼자 다니는 고독한 사냥꾼이거든.

- 돌고래에게 가장 위험한 사냥꾼은 어떤 상어인가요?

- 아무래도 호랑이상어라고도 불리는 뱀상어가 아닐까? 샤크만에서 제일 흔한, 이빨을 드러내고 소리 없이 다가오는 거대한 몸집의 상어.

- 하멜린 풀에 산다는, 바위처럼 생겼지만 손으로 만지면 푹 꺼지는 스트로마톨라이트가 뭔가요?

- 잠시 생각을 해 보자. 아주 오래전, 46억 년 전 탄생한 지구에는 무엇이 살고 있었을까? 공룡이 살았을까? 아니야. 아마 어떤 생물도 살기 어려웠을 거야. 그때 대기 중에는 이산화탄소는 많아도 산소는 없었거든. 최근 유니버시티 칼리지 런던의 국제연구진이 발표한 것에 의하면 3억 년이 지났을 무렵 바로 이것이 출현했다고 해.

- 무엇이 출현했는데요?

- 물과 이산화탄소를 이용해 광합성을 하는 최초의 생물 시아노박테리아 같은 남조류가 나타났어. 이것은 끈적거리는 성질로 인해 모래나 점토에 달라붙었고, 한 조각 한 조각이 뭉쳐 탄산칼슘 질 구조물을 만들게 되었지. 남조류는 빛을 더 얻으려고 위로 자라나고, 그것이 버섯이나 바위처럼 생긴 스트

로마톨라이트야. 여기서 문제! 하멜린 풀이 아니면 이렇게 거대한 구조물을 만나기 어려운데 왜 그럴까?

- 아마도 환경이 주는 효과가 아닐까요?

- 그렇지. 여기는 강수량은 적고, 증발률은 높아. 해초 둑은 물이 흐르기 어렵게 하고. 그래서 바깥 바다보다 염도가 2배가 높은 곳이야. 이런 조건에서 살 수 있는 동식물은 없어.

- 그런데 왜 다른 곳에는 스트로마톨라이트가 남아 있지 않아요?

- 다른 데서는 이놈들이 사라졌는데, 풀 한 포기 나지 않는 사막이면서 염도가 높은 이곳, 샤크만에만 용케 살아남은 이유를 알려줄까?

- 진짜 궁금해요. 진화의 비밀을 알려줄 것 같아요.

- 음, 시아노박테리아가 보금자리인 스트로마톨라이트를 만들 때는 생물막을 만들어 사용하는데 말이지. 훨씬 나중에 나타난 연체류가 이 생물막을 먹어 치우기 시작했거든.

- 연체동물이 살 수 없는 이곳에서는 살아남고요.

- 맞아. 이번에는 세계에서 가장 큰 해조밭 우라멜 강둑으로 가보자. 깊이가 9미터밖에 안 되어 햇빛이 아주 잘 드는 해조밭에 12종의 해조가 살아. 제주도의 2.6배 정도의 넓이로 덕분에 66종의 착생식물이 살아. 해조를 먹고 사는 듀공이 1만 마리나 되는 것도 그 때문이야.

- 샤크만이 생물이 살기에 좋은 곳인가 봐요.

- 여기는 온대에서 열대까지 기후가 펼쳐져 해양 동물이 많이 살아. 9월에 번식을 위해 오는 혹등고래, 남방긴수염고래, 큰돌고래도 살아. 멸종위기에 처한 호주의 포유류 5종이 서식하고, 조류들도 230종이나 여기 살아. 바다거북과 매부리거북이 여기서 산란하고

- 멸종 위기종들이 피난해 사는군요.

- 그것 말고도 위기에 처한 종이 살고 있어. 붉은허리토끼왈라비, 줄무늬토끼왈라비, 부디(boodie), 샤크만쥐, 서부가로무늬반디쿠트도 있어.

- 왈라비, 왈라비는 뭔가요?

- 호주나 뉴질랜드에서 볼 수 있는 캥거루과에 속하는 멸종위기 동물이야. 숲이나 바위 부근에 사는데 뒷발을 강력하게 차서 빠르게 달리지.

- 또 한 군데 쉘비치가 있는데 멀리서 보면 눈이 온 것처럼 하얗게 보이지만 걸어가면 바스락거리는 소리가 들려. 여기에 모래는 없고 호주새조개 껍질이 7~10미터로 쌓인 해변이야. 염분이 높아도 사는 조개의 껍질이 해안가로 밀려온 것이 어언 4천 년, 높이가 5미터 넘는 조개 해변이 110킬로미터나 만들어졌어. 인근에는 조개껍데기가 쌓여 만들어진, 패각 석회암이나 코키나라고 부르는 암석으로 만들어진 채석장이 있고.

- 그러면 코키나로 지은 집도 있겠네요.

- 그렇지. 덴햄이라는 작은 마을에 1954년에 지은 교회 건물이 있어. 그곳에 가면 멍키미아 해변에 병코돌고래가 헤엄치는 모습을 볼 수도 있어. 먹이를 줄 수도 있고.

- 진짜 만날 수 있어요?

- 운이 좀 있어야겠지. 하지만 해변에 있는 호주펠리컨이나 타조처럼 날지 못하고 뛰어다니는, 호기심 많은 에뮤를 볼 수는 있지. 거대한 분홍색 숟가락 부리의 오스트레일리아사다새도 볼 수 있고.

12. 닝갈루 해안 (오스트레일리아)　세계에서 가장 긴 거초

- 이제부터 세계에서 가장 긴 거초를 보러 가보자. 육지를 따라 띠를 두른 것처럼 발달했는데 길이가 무려 260킬로미터나 돼. 그레이트 배리어 리프 다음으로 큰 산호초지대야. 그 이름은 바로 닝갈루 산호초지대.

- 닝갈루라고요? 농갈라묵기도 아니고.

- Ningaloo는 호주 원주민인 와자리족 말인데 바다로 돌출된 높은 땅, 심층수, 촉진, 이런 뜻을 가지고 있대. 이니구두라족의 야마지족이나 바이운구족도 있는데 여기서 3만 년 이상 거주해 왔다고 해.

- 우와 3만 년이나?. …거초니까 아주 가까이 있겠네요.

- 산호의 준비물과 골격이 쌓여서 생긴 암초가 산호초이고, 섬이나 육지 주변에 생기면 거초라고 알려준 거 생각나?

- 그랬지요.

- 닝갈루 산호초는 해안 바로 앞에 있는데 100미터만 걸어 들어가도 거대한 산호초를 만질 수 있어. 원시 상태 그대로를 간직한 이 산호초에는 입이 매의 부리처럼 튀어나온 매부리바다거북(대모거북), 알을 낳을 때가 아니면 뭍에 오르지 않는 붉은바다거북, 만화영화 <니모를 찾아서>에 나오는 흰동가리(크라운피쉬), 노란 나비고기, 바라쿠다(큰꼬치물고기), 고래상어 등 희귀한 해양생물도 살고 있어.

- 우와!

- 벌써부터 놀라지 말고 들어 봐. 바닷속에서 얼마나 놀라운 일이 벌어지는지. 자, 아빠가 농가월령가처럼 읊어볼 테니, 네가 매겨 봐.

- 1~2월에는,

- 바다거북이 알을 낳고, 깨어난 거북이 새끼가 바다를 향해 달려 가는 모습을 볼 수 있고.
- 3~4월에는 산호초가 산란하는데 산호 새끼 잡아먹으려고 해양 동물들 얼마나 몰려드는지.
- 4~7월에는,
- 세상에서 가장 큰 물고기, 고래상어가 한 번에 300~300마리씩 모이는데 스노클링하면서 얼굴을 볼 수 있다네. 전 세계에서 다이 버들이 몰려 와.
- 참, 고래상어는 무섭지 않아요?
- 몸길이가 20미터가 넘어 무시무시해 보이기는 한데, 코끼리나 기린처럼 순해서 사람을 공격하거나 못된 짓을 하지 않아. 거대한 바다의 신사라는 별명처럼 절대 누군가를 다치게 하는 일은 없어. 만화영화 <도리를 찾아서>에 등장하면서 인기가 많아졌지. 입이 크고 등에 많은 점이 꼭 별처럼 보여. 두 눈은 앙증맞게 이쁘고.
- 자세히 좀 알려주세요.
- 고래상어는 주식이 플랑크톤이고 열대지방 따뜻한 바다에서 사 는데 수명이 70년 정도야. 우리나라 해안에 나타나기도 하는데 얕은 천천히 헤엄치니까 빠르게 달리는 배에 부딪혀 다치거나 그물 에도 잘 걸리고. 바다에 온 플라스틱을 먹이로 알고 먹는 바람에 장에 쌓여 주기도 하고. 결국 멸종위기에 몰렸고 경각심을 주기 위 해 8월 30일을 국제 고래상어의 날로 정했어.
- 지금껏 그걸 몰랐네요. 5~11월에는.
- 바다에서 가장 큰 가오리, 최대 5.5미터까지 자라는 만타가오리

가 날아다녀요.

- 6~11월에는,

- 3만 마리가 넘는 혹등고래가 남극의 겨울이 오면 따뜻한 호주에서 새끼를 낳고 키우기 위해 닝갈루로 오지.

- 우와! 늘 신비로운 자연 그대로네요.

- 닝갈루 바다 옆에는 케이프산맥이 붙어있어. 카르스트 지형인데 지하에 수백 개의 동굴, 돌리네, 수로망이 있어. 산맥을 파도가 깎아내려 생긴 놀라운 단면층을 드러내는 찰스나이프캐년과 샷 홀 캐년(협곡)도 있어. 만디만디협곡이나 야디크릭협곡도 있고. 지상은 건조 생태지역으로 새들이 많이 살아. 아침에 눈을 뜨면 새소리부터 다를 거야. …강과 바다가 만나는 야디 크릭에 가려면 엔진소리가 나는 보트는 들어갈 수 없어. 거기는 새들이 둥지를 짓고 교미를 하고 알을 낳는 장소거든. 왜가리, 에뮤, 물수리, 검은발바위왈라비를 볼 수도 있어.

- 그런데 카르스트가 뭔가요? 쿠바의 카스트로도 아니고요?

- 쿠바의 카스트로를 알고 있다니, 대단한데. 쿠바를 해방 시킨 혁명가이면서 반미의 선봉에 섰던 혁명가로 국가나 정치성향별로 평가가 엇갈리는 정치인이지. 2016년 90세의 나이로 작고했어.

- 체 게바라와 같이 쿠바혁명을 한 거죠?

- 그렇지. 아르헨티나 출신으로 쿠바혁명에 참여했지.

- 각설하고, 카르스트 지형은 아열대나 열대의 석회암지대에서 주로 많이 만들어져. 탄산칼륨으로 이루어진 석회암은 이산화탄소를 품은 지하수나 빗물에 잘 녹거든. 땅속으로 스며들어 동굴을 만드는가 하면 그 안에 종유석이나 석순을 만들어. 단양이나 삼척에도 이런 동굴이 있어. 시멘트의 원료가 되기

도 하지. 그리고 땅속의 석회암이 녹아 깔때기 모양으로 생긴 우묵한 곳은 '돌리네'인데 요즘 말로 씽크홀이라고도 해. 더 큰 것은 우발라, 더 큰 것을 폴리에라고 하고.

– 여기 관광객이 많이 오지요? 걱정이네요.

– 관광객들로 인해 유산이 훼손될까 걱정스러워. 하수와 오수 처리, 불법어로 행위, 생태계 교란. 여기에 침입성 외래종들도 있어. 고양이, 염소, 여우, 잡초도 있고. 더구나 여기는 1990년대까지 호주에서 폭격 연습을 아주 활발하게 했던 곳이야. 해상이나 육지나 지속적인 관심이 필요해. 또 한 가지 걱정되는 것은 말이야.

– 뭔데요? 말씀하세요.

– 이곳은 1990년대까지 호주에서 폭격 연습이 가장 활발했던 지역이라는 것. 또 하나는 리어먼스 공군 무기 시설 범위에 고대 산호초 군락과 중요한 동굴 거주 동물이 있다는 거야.

13. 코모도 국립공원 (인도네시아) 세계에서 가장 무서운 코모도왕도마뱀

– 이 국립공원은 다른 곳에서 볼 수 없는 왕도마뱀으로 유명한 곳인데 5,700 마리 정도가 살아. 길모리모퉁에 100여 마리, 린차에 900마리, 코모도에 2,900마리.

– 혹시 악어가 아닌가요?

– 섬 주민들은 육지 악어라고도 부르는데, 왕도마뱀과에 속해. 둘 다 공룡의 후손인데 진화에 대해 연구할 기회가 될 거야. 길이가 보통 3미터, 무게가

136킬로그램까지 자라. 파충류 중에서는 가장 크지. 머리는 납작하고 꼬리는 길고 두꺼워. 혓바닥은 갈퀴 모양이고

- 쥐라기 공원의 공룡처럼 무서워요. 뭘 먹어요? 사람을 습격하지는 않고요?
- 동작이 빠르고 이도 날카로워. 공격 장면을 보면 무시무시하지. 코모도용이라고 부르기도 하는데, 구부러진 이가 60개나 되어 먹잇감을 한번 물면 절대 놓지 않아. 치명적인 독이 있다고 해서 알려졌는데 그렇지는 않아. 독은 없고 감염을 일으키기는 해. 다른 파충류처럼 멧돼지, 물소를 잡아먹고 사는데 티모르 사슴을 가장 좋아하지. 그런데 이 무시무시한 놈 덕분에 하얀 깃털에 머리꼭지가 노란, 희귀 앵무새, 유황앵무가 울창한 계곡에서 번영을 누리며 산다고 하는구나. 한때 400마리도 안 되었는데 지금은 1,100마리도 넘는다고 해.
- 코모도왕도마뱀이 어떻게 했는데요?
- 덤불에 코모도 용이 있을까 무서워 앵무새한테 감히 가지 못한 거지.
- 공생관계네요. 악어와 악어새, 산호와 갈충조처럼요.
- 그래. 코모도 국립공원은 총 29개의 화산섬이 있어. 플로레스섬 해안가와 코모도, 파다르, 린차라는 세 개의 큰 섬과 26개의 작은 섬, 사페 해협 주변의 바다로 이루어져 있어. 화산섬이라 토질이 안 좋고 가팔라. 물도 적어 농사짓기 어려워. 그래서 대부분 주민이 고기잡이를 하며 살았는데, 코모도왕도마뱀이 유명해지면서 관광객이 몰려들기 시작했어.
- 코모도왕도마뱀을 보려면 무서워서 어떻게 해요?
- 하하, 여기를 구경하려면 입장료를 지불해야 하고, 일부 지역은 출입이 제한되어 있어. 그리고 인도네시아 정부 자연보호국 직원이 동행해야 해. 코모도 레인저라고 부르는 희귀생물을 보호하는 공원감시원이야. 거리가 있으면

그리 위험하지 않아. 레인저들이 막대기를 들고 휘두르면 코모도들이 도망가니까.

- 주민들이 많이 살아요? 무섭지 않은가 봐요?

- 지금은 코모도왕도마뱀이 마을의 가축을 습격하는 등 사람들에게 공포감을 주지만 그전에는 그런 일이 없었어. 1,100명 가량의 주민이 사는 작은 마을이 있어. 이들은 사냥하며 살았는데, 나름대로 코모도왕도마뱀과 잘 지냈어. 사슴이나 멧돼지를 잡은 후 코모도왕도마뱀 몫을 남겨주었거든.

- 코모도왕도마뱀이 사나워진 이유가 있군요. 관광객은 많이 와요?

- 주로 6~9월의 건기에 찾아오는데 1980년에 100명이었던 관광객이 1990년에 1만 5,000명이 될 정도로 인기가 많아.

- 도마뱀을 보려면 어디로 가요?

- 코모도국립공원과 주변 플로레스섬에서만 발견되고 있어. 파다르섬에도 살았는데 사냥으로 먹잇감이 사라지면서 1970년대 이후로 멸종되었지. 린차섬에 가면 자연스럽게 볼 기회가 많아. 트래킹하다 보면 초원이 우거진 곳에 코모도가 사냥하는 모습을 볼 수 있어. 야생물소, 열대조류와 다른 생물도 볼 수 있고. 티모르 사슴은 코모도가 좋아하는 먹잇감이야.

- 기후는 어때요?

- 인도네시아는 대부분 열대우림 기후대라 정글이 울창한데 여기, 소순다 열도만은 좀 달라. 호주에서 불어오는 건조한 계절풍 탓에 덥고 건조한 사바나 기후야. 뜨거운 태양이 내리쬐고 자외선 차단제를 발라야 하는 우리의 여름을 생각하면 쉬울 거야. 이런 기후 덕분에 코모도가 살기 좋은 곳이 되었지.

- 이런 기후가 식물에게는 별로일 것 같아요.

- 맞아. 건조하고 돌이 많아 식물들은 풀이나 나무들이 있지만 다양하지 않

아. 오히려 해양지역이 풍부하고 볼 것이 많아. 해초, 산호초, 맹그로브 숲이 비중 있게 차지하고 있어.

- 그럼, 바다에 볼 것이 많겠어요?

- 그래. 카나와섬 스노클링이 유명해. 물이 깨끗하고 다양한 바다 생물을 볼 수 있어. 산호초가 거센 파도를 막아주어서 바다가 잔잔하고.

- 산호초도 대단하군요.

- 격한 조류와 소용돌이가 인도양의 깊은 바닷속 영양물질을 가져와. 그래서 열대어와 산호초가 살기 좋아. 어쩌면 이곳은 세계에서 가장 아름다운 산호초 군락이라고 할 수 있어. 모양이나 색깔이 얼마나 휘황찬란한지 눈으로 직접 보면 입이 쩍 벌어지지. 산호초는 260종에 달해. 그밖에 스펀지가 70종, 크라운피시, 나폴레옹 피시, 큰바다달팽이, 갯민숭달팽이가 살아. 참돌고래도 볼 수 있고.

- 스펀지라면? 네모바지 스펀지 밥이요?

- 네가 저녁 먹을 때마다 보던 만화영화 말고, 과거에 수세미로 썼던 해면을 말하는 거야.

- 어떻게 이런 곳이 만들어질까 싶어요.

- 붉은 산호가 퇴화하면서 생긴, 핑크 비치라는 곳도 있어. 부드러운 분홍색을 띤 반짝이는 7개 해변 중의 하나야. 푸른 하늘 아래 깨끗하고 에메랄드빛 바다가 있고, 해변의 모래는 핑크빛이고 언덕은 짙푸른 맹그로브라고 생각해 봐. 너무 환상적이지 않니?

- 박쥐 섬도 있다고 들었는데.

- 아, 깔롱 섬 말이구나. 거기에서는 해가 질 무렵이 되면, 다시는 잊을 수 없는 매혹적인 경관을 목격하게 된다고 하네. 시간이 18시를 가리키면, 맹그

로브 숲에서 살던 큰 박쥐들이 황혼빛에 물드는 하늘을 향해 솟아오른다고 해. 한 마리도 아니고 수천 마리가 하늘을 메운다고 하니 볼 만하다는 거지.

- 여기는 갈 곳이 많아 좋아요. 상어나 듀공, 만타가오리를 보면서 먹다이빙을 할 수도 있고, 하이킹하다가 검정 하양 분홍의 3색 모래 해변을 내려다보면 만나 한순간 숨이 막히면서, 저절로 사진이 찍고 싶어지는 파다르섬도 있고.

- 이곳은 밀렵으로 인해 심각한 위협을 받고 있는데 듀공이 매우 위험하고, 향유고래와 대왕고래도 멸종위기에 처해 있어.

14. 푸에르토 프린세사 지하강 국립공원 (필리핀)
세인트폴 지하 동굴 속 공원

- 인도네시아를 지나 필리핀으로 왔군요.
- 여기는 필리핀 팔라완주의 주도인 푸에르토 프린세사. 타갈로그어로 '공주의 항구'라는 뜻이라네. 여기 가운데쯤 푸에르토 프린세사 지하 강 국립공원이 있어.
- 공주의 항구는 어떤 모습일까? 우아할까요?
- 글쎄. 지하 강은 푸에르토 프린세사에서 약 80킬로미터 떨어진 세인트폴 산맥에 있어. 석회암으로 이루어진 카르스트 지형인데, 그 아래, 지하에 강물이 흘러.
- 지하에 강물이 흐른다구요?
- 2007년 유카탄반도 지하 강이 발견되기 전까지 가장 큰 지하

강이었어. 이 강은 지하를 흐르다가 석회암 동굴을 지나 세인트폴 만으로 빠져나가고.

- 동굴 바닥에 강물이 흐르는군요.

- 그래. 길이가 8.2킬로미터로 사람이 들어갈 수 있는 강 중에서 가장 길어. 2,000만년 전부터 용식작용이 진행되고 있는 동굴이야. 그 안에 석순과 종유석들이 기린, 기차선로, 옥수수 등 특이한 모습을 하고 있어.

- 용식작용이요?

- 빗물이 스민 지하수에는 이산화탄소가 많이 함유되어 있는데 이 물이 석회암을 녹이는 거야. 인환이가 뭐 사달라고 아빠 마음을 녹이는 것처럼. 10년에 고작 1밀리미터를 녹일 뿐이지만.

- 어, 제가 그랬나요?

- 그래. 바다(필리핀해)와 연결되어 있으니까 4.3킬로미터까지는 '방카'라고 불리는 필리핀 전통 배를 타고 들어갈 수 있어.

- 배를 타고 동굴 안으로 들어갈 수 있어요?

- 자, 보트를 타고 동굴 안으로 들어가 보자. 배에는 8명 정도가 타. 맨 앞에 있는 사람이 플래시를 비추고, 맨 뒤에 있는 사람이 노를 저어가며 한 번씩 배를 세우고 설명을 해줄 거야. 동굴 안에 들어가면 바다제비들이 날아다니고, 천장에는 박쥐들이 득시글해. 혹시 천장을 보며 입을 벌리면 안 돼. 박쥐 배설물이 언제 날아올 지 모르니까.

- 우와, 깜깜해서 아무것도 안 보여요.

- 안으로 가보자. 종유석과 석순이 많이 있고, 넓은 '이탈리아 챔

버'라는 공간도 있어. 과일이나 새를 닮은 모양도 있고, '녹고 있는 거대한 양초'라는 석순도 있고. 양초바위, 말바위, 여인상.

- 사람들이 이름을 다 붙였군요. 종유석과 석순은 뭐예요?

- 닝갈루 해안에서 한 번 설명했지만, 다시 간단히 해줄게. 탄산칼륨으로 이루어진 석회암은 이산화탄소를 품은 지하수나 빗물에 잘 녹아. 땅 속으로 스며들어 동굴을 만드는가 하면 그 안에 종유석이나 석순을 만들어. 동굴 천장에 고드름처럼 생기면 종유석, 동굴 바닥에 죽순 모양으로 솟아오르면 석순. 그런데 방카는 혹시 안전에 문제가 생길지 몰라 1킬로미터 정도만 들어간다고 하네.

- 생각보다 멋진 곳인데. 아래에는 수정처럼 맑은 물이 흐르고, 여러 색의 바위들이 숨어 있다 까꿍 하며 모습을 드러내고. 절벽이 있는가 하면 호수도 나타나고.

- 얇은 바위가 툭 튀어나와 자이언트 베이컨이라고 부르는 바위도 있고, 해파리 모습 바위도 있어. 자연이 만든 아름다움에 대해 감탄하게 되지.

- 아이, 깜짝이야.

- 박쥐들이다!

- 그런데 박쥐는 어둠 속에서 날면서도 부딪히지 않아요?

- 초음파로 소통하거나 이상한 소리를 내서 존재를 알리기도 한다고 해. 자, 여기 손으로 만져 봐.

- 돌이 거칠기는 한데 좀 물러서 지하수에 녹는가 봐요.

- 2010년경에 지하 강이 2층으로 나뉘어져 있는 것을 발견했는데 동굴 안에 폭포도 있다고 하네. 물웅덩이, 또 다른 동굴,

암반석상도 있다고 하고.

- 어쩐지 음침한 게 배트맨 생각이 나더라니까.

- 그럼, 나가서 오솔길을 걸어보자. 동굴에서 나가면 세인트폴산 정상으로 향하는 두 가지 길이 나와.

- 영화도 중요한 장면에서는 두 갈래길이 나오지요.

- 그렇지. 원숭이오솔길과 정글오솔길이야.

- 어느 길이 더 좋아요?

- 어느 쪽을 선택하든 네 인생이 아닐까? 흐흐. 사실 나도 아직 가보지 않은 길이야. 원숭이가 살금살금 다가와 핸드백을 낚아채고 주섬주섬 뒤진다는 말만 들었어.

- 아빠도, 참! 너무 야박하세요.

- 미안, 공원 안에서는 왕도마뱀, 팔라완나무두더지, 팔라완악취오소리가 발견되는데 멸종이 우려되는 팔라완공작꿩도 있어. 지하에는 둥지를 튼 동굴칼새와 박쥐들이 살고 있고. 파충류 19종, 양서류도 10종이 살아.

- 바다에는요?

- 아, 바다거북하고 듀공이 살고 있어. 듀공 알지? 이곳은 필리핀 사람들에게도 꼭 오고 싶은 관광지로 꼽히는 곳이야.

- 사람들이 많이 오면 유산을 보존하기 힘들잖아요.

- 그래서 필리핀 정부에서도 자연 그대로를 보존하려고 애쓰고 있어. 관광객 수도 하루 1,200명으로 제한해 놓았어.

15. 투바타하 산호초 자연공원 : 썰물에 노출된 긴 암초 (필리핀)

- 이번에는 필리핀 팔라완주에 있는 또 하나의 자연유산으로 가보자. 푸에르토 프린세사로부터 150킬로미터 떨어진, 술루해 한가운데 떠 있는 화산섬으로 서서히 가라앉는 중인데 산호들만 햇빛을 향해 자라고 있어. 기상이 좋지 않으면 갈 수 없는 곳이라 더 잘 보호된 곳이고.

- 산호가 자라는 곳은 얼마나 아름다운지 용궁이 있다면 산호초 바닷속에 있을 것 같아요.

- 맞아. 북쪽에는 바닷새가 많이 살아 버드아일랜드라고도 하는데, 붉은발부비, 갈색발부비, 검은등제비갈매기, 큰제비갈매기 등. 호수(초호)의 모래언덕(사구)에 바다거북이 알을 낳으러 오고.

- 그러면 토끼는 어떻게 올 수 있을까요?

- 다이빙하는 사람 속에 숨어서 올까 모르지. 투바타하에는 2개의 환초, 남쪽과 북쪽의 환초, 새로 만들어진 미니어처 산호섬 제시 비즐리 산호초가 있어. 남쪽 산호초도 얕은 호수(초호)를 에워싸고 있고, 라이트하우스라는 등대가 있어. 바닷새와 바다거북의 산란처로 이용되고. 해저 100m 깊이까지 이르는 수직 벽, 넓은 산호초 평원과 심해지역까지 오염되지 않고 해양생물이 다양해.

- 외딴곳에 있어서 사람이 접근하기 어려웠나 봐요.

- 술루해라는 바다 망망대해에 있어. 날씨가 좋지 않으면 가기도 어려워. 울릉도에서 독도 가려다가 날씨가 좋지 않아 가지 못하고 돌아온 사람들 생각하면 쉬워. 다이빙하러 가는 사람들도 매년 3월 말에서 6월 초에만 리브어보드 보트를 이용해 들어간다니까.

- 스노우보드는 아는데 리브어보드가 뭐예요? 강에서 타는 보드인가요?

- 흐흐. 리브어보드(Liveaboard)는 배 타고 다이빙하는 거야. 쉽게 말하면 그 용도로 만든 크루즈선이라고나 할까?

- 아빠도 잘 모르시는구나.

- 다른 배는 다 타봤는데 그 배는 아직 못 타봤구나.

- 여기는 산호초가 많이 자라는군요.

- 그렇지. 산호 삼각지대에 속한데 세계 산호 종 약 절반이 여기에 살아. 다른 곳에서 보기 힘든 브레인코랄, 스타코랄, 잎끝을 오므렸다가 폈다가 하는 연산호 일종인 펄싱제니아, 산호초 폴립을 먹는 엔젤 피시, 버터플라이 피시. 회초리산호, 트리코랄, 카네이션코랄, 부채산호 등등.

- 산호에 대해 더 알려주세요.

- 대형 부채산호들이 무지하게 많아. 절벽에 붙어 군락을 이루고 살기도 해. 안티아스와 담셀피시가 그것을 방패 삼아 숨기고 있고, 배너피시는 부채산호에 붙은 부착물을 먹고 살지. 항아리 해면도 살고, 태양이 비치는 연산호의 모습은 눈이 부실 정도지.

- 안티아스와 담셀피시요?

- 안티아스는 색상이 화려하지만 몸짓도 현란해 좋아하는 사람들이 많아. 깃털이 날리는 것 같은 지느러미가 사랑스럽지. 산호들 사이 구멍에 사는 것은 주로 붉은색이야. 조류에 따라 움직임이 달라져서 그것을 보면 혼이 나갈까 무섭지. 담셀피시는 말이야. 종류가 여러 가지인데, 아빠는 얼룩말처럼 줄무늬가 있는 스트라이프 담셀은 본 적이 있어.

- 거북이도 산다고 했잖아요.

- 여기는 거북이가 알을 낳고 쉬며 새끼들이 어린 시절을 보내는 곳인데 취

기종인 푸른바다거북이나 대모거북이 살아.

- 산호초에 바다 생물도 많이 사는 데 어떤 게 있어요?

- 참치, 쥐가오리, 꼬치고기, 멸종 우려가 있는 나폴레옹놀래기도 살고 고래, 뱀상어, 고래상어도 있고, 원양성 어류인 꼬치고기, 트레발리. 세계에서 가장 많은 수의 화이트팁암초상어가 살고 있어. 돌고래 떼가 한 번씩 나타나 축제를 벌이기도 해.

- 화이트팁상어요? 이름도 어려워요.

- 우리말로는 백기흉상어라고 하는데 몸길이가 1.5미터 정도. 성질이 좀 난폭한데 산호초 비좁은 곳에 살다가 밤이면 장어나 열대어, 곰치 같은 고기를 잡아먹어.

- 북쪽에 많이 산다던 새들은요?

- 새섬과 남섬에 텃새가 7종, 위기종 바닷새들이 알을 낳고 살아. 흰배군함조도 정기적으로 모습을 드러내고, 투바타하에 다녀온 사람들이 다들 그래. 이렇게 건강하고 생생하게 살아있는 산호초는 처음 본다고.

- 어떤 산호가 건강한 산호인가요?

- 먼저, 어린 산호가 많이 자라는 곳. 바위에서 서로 다른 산호들이 막 경쟁하듯이 자라고 있어야 해. 산호초 주위에 작은 물고기들이 많이 북적거리고 살고 있는 곳이야. 엔젤피시나 버터플라이피시 무리가 많아야 해. 그래야 산호초 폴립을 먹을 테니까. 마지막으로 바닥이 보이지 않을 정도로 산호초가 빽빽하고 자라고 있어야 하고.

- 아하, 그렇군요.

- 그런데 건강하고 생생한 산초가 사는 데는 여러 사람의 노력이 컸다고 해. 1980년대 남획도 심하고, 다이너마이트나 청산가리를 이용해 고기를 잡는

바람에 훼손이 심했어. 그래서 다이빙 커뮤니티나 환경운동가들이 캠페인에 나서서 해양국립공원으로 지정되었어. 이후에도 24시간 불법 포획을 감시하고, 산호초 상태를 모니터링하고 연구했고.

– 대단하신 분들이군요.

– 덕분에 1998년, 2010년 어마어마한 백화현상을 겪고도 스스로 치유해서 원래 모습을 찾았다고 해. 이때 호주 대보초 산호들은 어땠는지 알아? 반 이상이 백화현상을 겪고 죽기도 했지.

– 캠페인 구호가 무엇이었어요?

– 영어로, We all live connected, relying on each other!!, 이었을 거야.

– 무슨 뜻인가요? 독불장군은 없다는 말이지요.

– 비슷해. 우리는 모두 서로 의존하며 연결된 채 산다는 뜻이야.

16. 하롱베이 (베트남) 용이 내려온다

– 하롱하롱이라는 말은 꽃잎이 떨어질 때 쓰는 시어인데.

– 맞아. '하'라는 말은 내려온다 하(下), '롱'이라는 말은 용(龍)이야. 하늘에서 용이 내려와 침략자들을 물리친다는 전설이 있어.

– 전설이라니 궁금해지네요.

– 바다 건너 외적이 쳐들어오자, 하늘에서 용이 내려와 천둥과 번개를 쏟아냈는데 그것들이 수천 개의 섬이 되었다는 전설이지. 베트남도 우리나라처럼 외적의 침입을 많이 받았던 나라야. 19세기에도 프랑스, 일본, 미국의 침입과 지배를 받았지만 결국 독립을 쟁취한 용기 있는 나라지.

- 그런데 어쩌다 베트남에 군대를 파견했었던가요?

- 미국의 요청으로 군대를 파견했다는데, 두고두고 아픈 상처를 남겼어. 아무 원한도 없는데.

- 요즘 시골 청년들이 베트남 처녀와 결혼도 많이 하잖아요. - 그렇지, 사돈의 나라인 셈이지. 자, 각설하고, 베트남으로 가보자. 이탈리아가 부츠나 장화 모양으로 생겼다면 베트남은 아기공룡이 목을 빼고 하품하는 모양이랄까. 수도인 하노이가 머리 부분에 있고, 다리 부분에 제일 큰 도시 호찌민이 있지.

- 하롱베이는 어디쯤 있어요.

- 수도 하노이에서 동쪽으로 약 170킬로미터 거리에 있어. 통킹만에 있는 하롱베이는 아름다운 자연경관 때문에 사람들이 많이 찾아. 험준한 지형 덕분에 사람의 영향을 거의 받지 않았어. 80년대 초까지만 해도 해적이 바위섬 뒤에 숨어 있다가 지나는 배를 약탈하던 곳이었어. 그래서 어느 섬 동굴에 해적이 숨긴 보물이 있다는 이야기도 있고.

- 지금도 해적이 나오는 것은 아니죠?

- 그럼, 지금은 없지.

- 꼭 우리나라 남해안 거제도에 온 것 같아요.

- 응. 비슷하지. 바다색이 맑고 깨끗한 것도 그렇고 기암괴석이 솟아 있는 모습이 꼭 동양화 같지. 그래서 중국의 명승지를 빗대서 '바다의 계림'이라고 하기도 해. 거제와 좀 다른 것은 석회암 카르스트 지형이라는 거지.

- 카르스트 지형이군요.

- 응. 앞에서 한 번 이야기 했어. 탄산칼륨으로 이루어진 석회암은 이산화탄소를 품은 지하수나 빗물에 잘 녹거든. 지하수나 빗물에 녹아 구멍이 생기고, 땅속으로 스며들어 동굴을 만드는가 하면 그 안에 종유석

이나 석순을 만들어. 단양이나 삼척에도 이런 동굴이 있어. 그런데 틈이 별로 없는 덩어리 석회암이나 땅 위에 노출된 석회암이나 덩어리로 된 것은 잘 녹지 않아 돌기둥이나 산 모양으로 남게 돼.

- 그 모양 그대로 남게 되는군요.

- 응, 원뿔 모양으로 봉우리가 모여 있는 것은 '펭콩'이라고 하고, 고립된 탑 모양은 '펭린'이라고 해. 나중에 바닷물이 유입되면서 변형이 가해지는데 작은 섬들은 높이가 50m에서 100m 사이의 펭린 카르스트 탑이야. 사방이 수직으로 솟아 있는 형태인데, 바위가 떨어져 나가면서 지속적으로 섬의 모양이 변해. 그리고 해안선 전체의 바위에 V자형 새김이 만들어지는데 하롱베이는 이것이 잘 발달되어 있고, 도처에 동굴과 아치형 바위섬도 만들어진 거야.

- 그래서 오늘날의 하롱베이가 만들어진 거군요.

- 중국 계림에서부터 이어진 석회암 대지가 무려 2억 년 가까이 바닷물에 시달린 끝에 1,969개의 섬에 사람 머리 모양, 귀부인, 물개, 사람 머리, 엄지손가락, 용, 닭 모습을 조각해 놓았어. 각도와 빛에 따라 다른 신비로운 분위기의 모습을 빚어내는 섬이지. 그래서 섬 이름도 많아. 거북섬, 코끼리섬, 싸움닭섬….

- 사람들이 살기 어려운 곳이니 자연은 잘 보존이 되었을 것 같아요.

- 섬들 대부분은 무인도에 사람이 살기 어렵지만 다양한 생물이 어울려 살아. 통킹납작코원숭이, 긴팔원숭이, 붉은왜가리, 백로도 살아. 아, 참 하롱베이 섬은 동굴을 품고 있는 곳이 많아.

- 카르스트 지형이니 석회암 동굴인가요?

- 맞아. 승솟동굴은 물과 시간이 빚은 자연의 예술작품이라고들 하

는데 3개의 동굴이 연결되어 있어. 항티엔꿍(천궁동굴)은 동굴 중앙에 하늘을 받치고 있는 석주가 있어. 가장 유명한 석회동굴은 항더우고 동굴이야. 나무 말뚝 동굴이라는 뜻인데 몽골 쿠빌라이칸의 침략을 막아낸 베트남의 영웅, 쩐흥다오 장군의 전설이 남아있는 곳이야.

- 우리나라 이순신 장군과 비슷하네요.

- 그렇지. 13세기 세계를 제패한 몽골 쿠빌라이 칸의 군대가 하롱만으로 쳐들어왔지. 베트남의 쩐 장군은 군사 2,000명과 함께 죽음을 각오한 일전을 준비했어. 섬들 사이에 대나무 말뚝을 박아 놓고 동굴 안에 숨어 때를 기다리고 있었거든.

- 때를 기다린다구요? 무슨 때요?

- 바닷물이 빠지기를 기다리고 있었지. 마침내 기다리던 순간이 오고, 몽골군을 실은 배는 말뚝에 걸려 오도 가도 못했지. 그다음은 말 안 해도 알겠지.

- 항 더우고 동굴은 더울 것 같아요.

- 동굴에 들어가면 다 더워. 땀이 흘러 얼굴이 물광 낸 것처럼 보이지. 우리나라에도 석회암 동굴 있잖아. 단양의 고수동굴, 삼척의 환선굴.

- 하롱베이 기후는 어때요?

- 여름에는 덥고 습하고, 겨울에는 건조하고 선선한 열대 습윤 기후야. 자세히 말하자면 5월부터 9월까지가 우기, 10월부터 4월까지가 건기야. 우기라고 하루 내내 비가 오는 것은 아니지만 날이 흐르고 습한 게 꼭 우리나라 장마철 같아. 건기에는 비가 내리지

않아 해가 모습을 드러내는 맑은 날을 볼 수 있어. 여행하고 싶다면 이때가 좋겠지. 그런데 10월에서 11월 사이는 우리나라 한여름처럼 뜨거워. 뙤약볕이야. 여행을 가고 싶다면 12월에서 2월 사이가 좋겠지.

- 아, 그렇죠. 어디가 가장 인기가 있나요

- 아마도 연인들이 사진을 찍기 위해 많이 찾는 암수바위가 아닐까. 영원한 사랑을 빌면서.

- 하롱베이에서 영화를 많이 찍은 이유가 있네요.

- 그동안 신비로운 하롱 베이를 배경으로 여러 영화가 만들어졌어. 아바타, 007네버다이, 킹콩, 인도차이나. 굿모닝 베트남이라는 영화도 있지.

- 아바타는 봤고. 다른 영화도 하나 봐야겠다. 베트남 지폐에 하롱베이 뭐가 있다던데요.

- 제사 지낼 때 쓰는 향로바위야. 베트남 200,000동 화폐에 있는데 우리처럼 조상을 섬기는 유교사상 덕분이지.

17. 우중쿨론 국립공원 (인도네시아) 자바 코뿔소

- 2020년 9월경 인도네시아에서는 자바섬 서쪽 끝 우중클론 국립공원에서 멸종위기에 처한 자바코뿔소 새끼 2마리가 발견되었다고 떠들썩했어. 한때는 몇천 마리에 이르렀지만 2010년 베트남에 남아 있던 자바코뿔소가 밀렵으로 사라진 후 인도네시아 우중쿨론에만 남아 있어. 여기가 마지막 야생 서식지

인 셈이야.

- 누가 코뿔소 새끼를 발견했나요?

- 아니야. 당국에서 설치해 놓은 CCTV에 잡힌 거지. 새끼 2마리 중 암컷에게는 '헬렌', 수컷에게는 '루터'라는 이름이 붙여졌대.

- 자바코뿔소는 어떻게 생겼어요?

- 자바코뿔소는 '외뿔코뿔소'라고도 하는데 수컷 코뼈 위에 뿔이 하나 있어. 몸은 3미터 정도 되고, 몸무게가 2톤이나 나가는 코뿔소도 있어.

- 멸종위기에 처한 이유가 뭘까요?

- 코끼리 상아처럼 장식용 제품을 만들거나 한약재로 쓰기 위해서 마구잡이로 잡은 거지. 항암에 효능이 있다는 잘못된 정보도 있었고, 지금은 70마리 정도밖에 남지 않았어.

- 아, 그러면 강력하게 단속해야지요.

- 맞아. 이 국립공원에 들어가려면 일단, 인도네시아 자연 보호국의 허가를 받아야 해. 밀렵꾼 때문에 현지인, 외국인을 막론하고 출입을 제한하고 있어. 일부만 개방하고 있고.

- 여기가 우중쿨론 국립공원이군요.

- 전 세계에서 가장 깨끗한 자연 생태계 지역 중 하나야. 자바 호랑이가 마지막까지 살았던 곳이고. 인도네시아 자바섬 서남단에 있는데 우중쿨론이라는 이름이 서쪽 끝이라는 뜻이야. 우중쿨론 반도와 푸창, 파나이탄, 한두룸 등 네 섬, 주변 바다가 포함돼. 참, 산호초가 많은 순다해협도 포함되는구나.

- 다른 동물은 없어요?

- 있지. 우리가 사진이나 TV에서만 보던, 자연의 모습 그대로 볼 수가 있지. 자바몽구스, 자바긴팔원숭이, 자바잎원숭이, 은색잎원숭이, 게자비원숭이, 표

범살쾡이, 들개, 사슴, 사향고양이. 다양한 개구리와 두꺼비, 악어, 비단구렁이, 바다거북이 살아. 동식물을 합치면 1천 종이 넘어. 그밖에 셀 수 없이 많은 다양한 곤충과 바다 생물이 사는 자연의 보고라고 할 수 있지.

- 우와!

- 참 희귀동물 하나 더 이야기해 줄게. 공원에 열대식물이 많은데 야생 소 중 가장 아름답고 우아한 들소 반텡도 살고 있어. 엉덩이에 큰 흰색 반점이 있는데 초식동물이라 풀이나 사초, 과일 등을 먹어. 인도네시아 국가상징의 방패 왼쪽 위에도 반텡의 머리가 있어.

- 딱 들어보니, 멸종위기 동물이군요. 열대우림기후라 우리나라에서 볼 수 없는 동물이 많아요.

- 열대 해양성 기후라고도 하는데 연평균 기온이 25~30℃, 연강수량이 3,200밀리미터 정도야. 10~4월에 많은 비가 오고 북서계절풍이 불어. 참고로 우리나라는 연평균 기온이 12.8℃이고 연평균 강수량이 1,242mm야. 여름에 장마와 태풍이 발생하고 강수량의 50~60%가 집중되지.

- 사람은 살고 있나요?

- 가만, 사연이 있단다. 1883년 크라카타우 화산이 폭발했는데 여파로 거대한 파도가 발생했어.

- 쓰나미요.

- 맞다, 쓰나미. 어마어마한 쓰나미가 덮쳐 서부 반도 해안 지역 마을과 농경지가 사라지고 그 위를 30센티미터 두께의 화산재가 덮어버렸어. 그 후로 다시는 사람이 살지 않게 되었지.

- 얼마나 대단한 폭발이었으면 그렇게 되었을까요.

- 당시에도 크라카타우섬은 맹렬한 화산 폭발 때문에 잘 알려진 곳이었어.

416년, 535년, 1680년, 세 번이나 폭발이 일어났으니까. 그런데 1883년 8월 화산 폭발은 어마어마했어. 누구도 예상치 못하게 커다란 굉음을 내며 폭발을 일으켰는데, 폭발음이 얼마나 컸던지 히로시마 원자폭탄보다 1만 3,000배나 더 소리가 컸다고 해.

– 섬은 날아갔겠지요?

– 그래, 화산 봉우리 세 개가 몇 달간 우르릉대고, 증기를 분출하더니, 마침내 네 차례 강력한 폭발이 일어났어. 연이어 30미터가 넘는 해일이 일어나 3만 5천 명의 목숨을 앗아가고, 연기와 재의 기둥이 대기 중으로 솟구치고, 섬은 바다 밑으로 가라앉고, 뜨거운 재가 하늘에서 쏟아져 수천 명이 즉사하고, 남아 있던 생물들, 사람이 사는 정착지도 모조리 쓸려가 버렸던 어마어마한 재앙이었지.

– 기후에는 변화가 없었나요?

– 세계 평균 기온이 1.2℃ 정도 떨어졌어. 날씨는 오락가락 혼란스럽고 하늘 높이 올라간 화산재와 가스 때문에, 멀리 떨어진 지역에서도 기가 막히게 아름다운 일몰 광경을 볼 수 있었대. 뭉크의 <절규>에 나오는 일몰 풍경이 바로 그거야. 이후 이 지역 생태계가 어떻게 변하는지 학자들이 아주 자세히 보고 조사도 하고 있어.

– 그 후에는 화산 폭발이 없었나요?

– 없을 수가 없지. 인도네시아는 '불의 고리'라고 불리는 환태평양 조산대이면서 지진이나 강진이 일어나는 알파이드대이기 때문이지. 2018년 12월, 화산 쓰나미가 인도네시아 순다해협을 덮쳤는데 희생자가 430명이나 나왔어. 크라카타우 화산이 사라진 자리에 생긴 아낙 크라카타우가 분화하면서 해저 산사태를 일으켰기 때문이래.

- 무서워요. 우리나라 백두산도 100년 주기로 폭발한다는데.
- 너무 걱정하지 마. 화산이 폭발한다고 해서 다 죽는 것은 아니고, 백두산보다 더 위험한 화산도 많아. 대비는 해야겠지만 지레 겁먹을 필요는 없어.

18. 순다르반스 국립공원 (방글라데시, 인도) 벵갈호랑이

- 드디어 왔구나. 순다르반스, 금방이라도 어흥, 하고 호랑이가 튀어나올 것 같아.
- 난데없이 호랑이라니요? 순다르반스는 무슨 뜻인가요?
- 벵골어로 아름다운 숲이라는 뜻인데, '순다리'로 알려진 나무가 많아서 생긴 이름이기도 해. 인도와 방글라데시, 두 나라 사이를 흐르는 갠지스강, 브라마푸트라강, 메그나강이 넘쳐서 만들어진 비옥한 삼각주에 있는데, 바다에서 내륙으로 들어가다 보면 인간의 손이 닿지 않은 늪과 습지가 나타나지. 꽃이 피는 육상식물인 맹그로브숲이 우거졌는데 거기 벵골호랑이가 살고 있어.
- 어떻게 생겼어요? 동물원 호랑이와 비슷하겠지요?
- 털은 붉은빛을 띤 노란색, 배는 흰색. 그리고 등에는 검은 줄무늬가 있지. 낮에는 숲속에서 살다가 해가 지면 나타나지. 수영도 잘해. 멧돼지, 영양, 액시스사슴 등을 잡아먹는데 배가 고프면 사람이 타는 배에도 뛰어오른대.
- 사람을 잡아먹는다는 말이 사실이군요.

- 인도 정부가 1973년부터 이 일대 호랑이 수렵을 금지시킨 결과 많은 호랑이가 살아. 인도는 이곳에 23개의 호랑이 보호구역도 만들었어.

- 매년 죽는 사람이 많을 것 같아요.

- 우리 조상님들도 한 때는 호랑이를 무서워했어. 지금은 거의 보이지 않지만. 세계 최대의 맹그로브 숲이 펼쳐진 순다르반은 국립공원으로 유네스코 문화유산에도 등재되었는데 인도 쪽 서뱅골은 1987년, 방글라데시 쪽은 1997년에 등재되었어.

- 우리 조상님들이 무서워한 호랑이는 뱅골호랑이가 아니죠? 호랑이는 몇 마리나 되나요?

- 뱅골호랑이가 아니라 아무르호랑이지. 정확한 개체수는 기록마다 차이가 있지만 이곳에 뱅골호랑이 700여 마리가 살고 있다고 해. 도마뱀, 악어, 거북, 물개와 돌고래, 사슴, 원숭이 등 수많은 종의 동물들도 같이 살고, 섬이 102개인데 48개의 섬이 뱅골호랑이가 사는 섬이라고 그러네. 사람이 사는 섬과 뱅골호랑이가 사는 섬으로 나뉘어 있거든.

- 맹그로브에 대해 좀 더 이야기해 줘요.

- 열대지방이나 아열대 지방의 갯벌이나 강 하구에서 자라는 나무들이 모인 숲이야. 울창한 숲. 정확한 위치는 갠지스강, 브라마푸트라강, 메그나강이 만나는 삼각주에 있어. 인도와 방글라데시 두 나라에 걸쳐있는데, 넓이가 4,262㎢ 이상인데, 이 중에 숲이 2,320㎢이야. 그러니까 순다르반스 나머지 절반은 물에 잠겨 있어. 자갈이나 모래, 진흙으로 만들어진 섬, 진흙 제방, 해안의 모래 해변, 모래언덕으로 이루어져 있어.

- 숲은 어떤 기능을 해요?

- 응. 맹그로브숲이 떡 버티고 있다가 우리나라 태풍과 비슷한 싸이클론이 몰아칠 때 강한 바람이나 해일을 막아주지. 그뿐이 아니야. 이산화탄소 흡수 능력이 월등해서 '지구의 탄소저장소'라고 할 만해. '지구의 허파'라고 하면 다들 아마존의 열대우림 지역을 생각하지만, 이 숲은 열대우림보다 6배나 넘는 탄소를 저장할 수 있다는 거지.

- 맹그로브 숲이 사람이나 생물들이 살 수 있게 도와주는군요.

- 맞아. 그런데 보통 나무들은 열매로 씨를 뿌리는데 여기 나무들은 좀 달라. 물에 떨어져 봐야 싹이 나기 어려우니까 '주아'라고 불리는 작은 가지가 어느 정도 뿌리가 생겨 혼자 살 수 있을 때 원래 가지에서 뚝 떨어지는 거야. 그러면 물 위에 떠다니며 광합성을 하며 살 수도 있고 먼 곳까지 여행하면서 좋은 땅이 나타나기를 기다릴 수도 있지. 이런 식물을 '태생식물'이라고 해.

- 어떤 나무들이 있어요?

- 아마 처음 들어볼 거야. 멀구슬나무과, 마편초과, 자금우과, 쥐꼬리망초과, 꼭두서닛과에 속하는 나무들이야.

- 혹시 다른 동물은 없어요?

- 코뿔소도 살고 있었는데 지금은 보기가 힘들어. 바다거북이와 나일악어도 점점 개체수가 줄어들고 있어. 인도비단뱀도 잘 보이지 않고. 돌고래가 산다고 했나?

- 돌고래는 좀 전에 이야기했어요.

- 아하 그렇구나. 물총새, 흰따오기, 청호반새, 인도큰부리황새, 검은목황새, 대머리황새, 큰부리도요 같은 새들도 살아.

- 흰따오기요?

- 그래, '따오기'라는 동요도 있잖아. 걱정되는 것은 우기 때 비가 얼마나 많

이 오는지 일 년에 내릴 비의 75퍼센트가 내리는데, 국토의 40퍼센트가 물에 잠긴다는 거야. 해수면이 상승해서 해안선이 1년에 200미터나 후퇴하는가 하면, 사이클론으로 농경지는 파괴되고, 제방 역할을 해주던 맹그로브숲도 조금씩 사라지고, 논밭을 잃은 사람들은 도시로 팔려 가고.

- 안타까운 일이네요. 사람이 살기 어려운 환경이에요.

- 사람만이 살기 어려운 게 아니야. 땅을 매립해서 농경지로 전환하고, 갠지스강 상류지역 관개 공사로 생물이 사라지고 있어. 인도사슴, 인도먼잭사슴, 자바코뿔소, 물소가 그래. 악어의 일종인 가비알이나 좁은머리자라도 사라져 버렸어.

- 살 곳을 잃어가는군요.

- 다양한 생물이 어울려 살았는데 염분이 높아져 살 수 없게 된 거지. 참, 새우 좋아하지?

- 좋아하지요. 예전에는 비싸서 먹기 힘들었던 것 같은데.

- 이것들은 어디에서 올까. 대부분 인건비가 싼 동남아시아에서 양식한 타이거 새우야. 지진이나 쓰나미를 막아주고, 지구의 탄소저장소인 맹그로브 숲을 파괴하면서 만든 새우양식장에서 말이지.

19. 허드 맥도널드 제도 (오스트레일리아)   폭풍의 언덕

- 허드 맥도널드 제도는 말 그대로 사람이 살지 않는 무인도야. 폭풍우가 거센 외딴곳에 있거든.

- 외딴섬, 무인도요? 귀신이 사는 것은 아니겠죠?

- 그럼. 사람이 살지 않는다 뿐이지 동식물은 살아. 우리는 간혹 사람만이 지구에 산다는 착각을 하는데 그래서는 안 되지.

- 얼마나 멀리 있길래 그런 데가 있어요?

- 호주에서 남서부 방향 4,000킬로미터 이상 떨어져 있고, 남극대륙에서 북쪽으로 1,500킬로미터 떨어진 곳에 있어. 19세기까지 이런 곳이 있는 줄도 몰랐어. 그래서인지 허드 맥도널드 제도에는 외부에서 들어온 동식물이 하나도 없어. 원시 자연환경 그대로, 사람이나 다른 것에 의해 훼손되지 않은 채 진화가 계속되는 중이지.

- 그러면 뭐 해요? 맥도널드도 없고 햄버거도 먹을 수 없는데.

- 재미없다. 아재개그. 허드 맥도널드 제도는 인도양 남부에 있는 화산섬이야. 화산으로 생긴 섬 말이야. 맥도널드섬과 허드섬으로 이루어져 있는데 서로 43.5km나 떨어져 있어. 1년 중 70퍼센트 정도가 비가 오거나 눈이 오는데, 검은 바위에는 눈과 빙하가 늘 쌓여 있지. 게다가 낮은 구름이 끼어 있어 날씨가 우중충해 우울증에 걸리기 딱 좋아. 바람도 많이 불어. 엄청 세게 불어. '폭풍의 언덕'이라는 소설의 히드클리프가 생각나지.

- 아, 그 소설을 읽어보는 건데. 음산하고 우울한 분위기를 느껴봐야 하는데.

- 폭풍의 언덕은 에밀리 브론테가 썼는데, 언니가 제인 에어를 쓴 샬럿 브론테, 동생이 아그네스 그레이를 쓴 앤 브론테야. 세 자매는 모두 뛰어난 작품을 썼지. 불우한 삶을 살았고 30대를 넘기지 못하고 요절했지만. 참, 프랑스에서 영화로도 만들어졌어.

- 아, 영화라도 봐야겠다.

- 각설하고, 사람이 살지 않는 대신 펭귄이 살아. 마카로니펭귄은 2백

만 쌍이나 살아. 전 세계 16퍼센트에 해당하지. 많은 바다표범과 바닷새도 살아. 코끼리물범, 바다사자, 물개도 살고. 이 섬에서만 자라는 식물종도 있는데, 예를 들자면 케르겔렌 양배추(프링레아 속)도 살아. 작은 식물과 이끼도 살고.

– 차츰 섬에 대해 알고 싶어지는데요? 지금도 화산활동이 일어나고 있어요?

– 먼저 허드섬. 2,745m나 되는 빅벤산 모손 봉우리가 만년설과 빙하로 뒤덮여 있는데, 검은색 현무암과 어울려 멋진 풍경을 드러내지. 믿기 어려울 정도로 부는 급격한 바람, 산 정상의 환상적인 구름이 독특한 풍경을 만들어 내. 빅벤산이 마지막으로 대규모 분출을 한 것은 1992년인데 아직도 증기나 연기가 나오는 것으로 보아 활동 중인 것으로 보여.

– 맥도널드섬은요?

– 플랫섬과 바위를 포함하고 있는데 지형 자체가 좀 특이해. 피라곶에 움푹 파인 플루트가 있는가 하면 메이어 록에는 뾰족한 봉우리가 외롭게 서 있어. 모래는 널러버 평원으로 이동하고, 넓은 모래톱은 꿈틀대는 것이 보여. 가장 최근에 화산이 활동한 것은 2005년이야.

– 기후는 어떤가요?

– 연평균 기온이 1℃야. 여름은 여름 3.2℃, 차가운 해양성 기후에 서풍이 강하게 불어. 참, 앞에서 말하지 않았나. 1년 중 4분의 3이 비가 오거나 눈이 온다고.

– 아, 그랬던가요. 지금은 사람이 살고 있어요?

- 1855년에 처음으로 나타났다가 1929년에 사라진 바다표범 사냥꾼들 흔적 말고는 없어. 1953년 호주 정부에서 허드와 맥도널드섬법을 제정하여 이곳을 보호하고 있거든.

- 연구원들도 없었어요?

- 있었지. 허드섬은 1950년대까지, 맥도널드섬은 1971년까지 과학자들이 방문해서 연구 활동을 했지. 그러나 지금은 아무도 없어. 완전히 고립된 섬이라고 살 수 있어. 진짜야.

- 연구할 가치가 있는 섬인가 봅니다.

- 화산활동이 진행 중인 남극 바로 북쪽의 섬이고, 원시 자연환경을 그대로 유지하고 있으니까. 지형학적 운동 과정이나 빙하의 작용에 대해서도 관찰할 수 있어. 한 마디로 지구에 대해 배울 수 있는 곳이야. 혹시 '카르만 효과'라고 들어봤니?

- 아니요.

- 세계적으로 희귀한 현상인데, 바로 여기에서도 일어나. 강한 바람이 장애물을 만났을 때 뒤쪽에 소용돌이가 생기는 현상을 말해. 북풍이 부는 추운 날 제주도에도 머리를 땋은 것처럼 쪼르르 소용돌이가 무늬가 생긴다고.

- 좀 어려워요.

- 자, 학생! 눈을 감고 생각해 봐요. 넓은 바다가 있다. 바람이 한 방향으로 거세게 분다. 바다 가운데 높은 산이 있고. 섬이라고 해도 좋아. 그런데 공기층을 보니까 좀 이상해. 우리가 아는 것처럼 따뜻한 공기가 위에 있지 않아. 찬 공기가 위에 있어. 그런데 그것이 더 안정적이야. 다시 거세게 바람이 불어온다. 주의를 기울여

보자구. 바람은 높은 산에 막혀 허우적거리다가 결국 뒤쪽에 꼬불
꼬불 가느다란 소용돌이를 만들고 마는 거야.

– 아이구, 무슨 말인지, 도통.

20. 프랑스령 남방의 땅과 바다 (프랑스) 세계에서 제일 많은 킹펭귄

– 여기에 오니 폴 고갱을 생각지 않을 수 없어. 타히티는 고갱 때문에 유명해
졌거든. 서른다섯 살 무렵 경기침체로 실직 후, 갑자기 그림을 그리기로 작정
하고, 가족이 있는 파리를 버리고 타히티로 떠났던 유명한 화가야. 소설 <달
과 육 펜스>의 주인공이야. 구속되지 않고 자유분방한 타히티를 배경으로 강
렬한 색채의 그림을 그렸지. '타히티의 여인'이라는 그림을 보면 알지. 타히
티에서만 느낄 수 있는 태고의 아름다움이나 소박한 원주민의 모습이 보이
지.

– 여기서 얼마나 살았는데요?

– 아마 10년 정도 살다가 다시 돌아왔는데, 마르키즈 제도 히바오아섬에 폴
고갱의 묘지가 있어. 나는 고갱의 <우리는 어디서 왔고, 우리는 무엇이며, 어
디로 가는가>라는 작품이 마음에 들어. …고갱 박물관에 가면 강렬한 색채를
풍기는 고갱의 그림을 볼 수 있어. 진짜는 아니지만.

– 고흐와 같이 그림을 그렸던 화가 아닌가요?

– 맞아. 63일간 같이 있었지. 고갱이 떠난 후 고흐는 귀를 잘랐고

– 생각할수록 짠해요. 타히티는 어떤 곳인가요?

– 타히티는 남태평양 동남쪽 끄트머리에 유럽의 전체 면적과 맞먹는

어마어마한 해역을 거느리고 있어. 정식 이름도 타히티가 아니라 프렌치 폴리네시아야. 그런데 우리는 언제부터인가 국가 이름보다 '타히티'라고 부르고 있어. 제일 큰 섬의 이름이 타히티라서 그랬나.

- 자세히 좀 알려주세요.

- 높은 화산섬과 저지대 산호섬으로 이루어진 타히티는 118개의 섬으로 이루어져 있는데, 이것은 다시 5개의 제도로 나누어져 있어. 먼저, 소시에테 제도인데, 타히티섬, 모레아섬 보라보라섬이 여기 속해 있어. 이곳 주민들이 유럽인들을 매우 우호적인 태도로 환대하였기 때문에 소시에테라는 이름이 붙었다고 해. 다음, 세계에서 환초가 가장 많고 구아나(인산질 비료)가 나는 투아모투 제도, 빵나무 열매를 주식으로 하고 폴 고갱의 묘지가 있으며 일처다부혼제인 마르키즈제도, 진주조개 생산지이고 핵실험장이 되었던 갬비어 제도, 물그릇이나 주발 등에 조각된 섬세한 기하학문양으로 유명한 오스트랄 제도.

- 오스트랄제도요. 오스트랄로 피테쿠스가 생각나는데.

- 오스트랄로 피테쿠스는 인류의 조상으로 추정되는 유인원으로 아프리카 남쪽의 원숭이라는 뜻인데. 오스트랄은 남쪽의, 라는 뜻이야.

- 저도 알아요. 그냥 물어봤어요.

- 요즘 보라보라와 모레아가 신혼여행지로 각광을 받고 있어. 보라보라는 뾰족한 바위섬을 가락지 모양으로 둘러싼 바다의 빛깔로 유명해. 수백만 년 동안 만들어진 산호로 인해 바다 빛깔이 수시로 변하거든. 타히티섬에서 약간 떨어진 모레아는 하트모양의 세계 최대 산호초가 형성되어 있어 다이빙이나 스노클링하려는 사람들이 많이 와. 고갱의 아틀리에도 재현되어 있고.

- 아, 말로만 듣던 보라보라가 여기 있구나. 보라돌이, 뚜비, 나나, 뽀.

어린 시절로 돌아간 것 같아요.

- 한참 아이들한테 인기가 많았지. 보라돌이는 키가 제일 크고, 뚜비는 언제나 멋진 춤을 추고, 나나는 애교 만점이고, 귀여운 꼬마 뽀는 붕붕이 타는 것을 좋아하고.

- 그런데 우리는 타히티를 보러온 게 아니잖아요.

- 맞아. 우리는 세계유산으로 등재된 프랑스령 남방의 땅과 바다를 찾아 나선 참이지. 남극해 한가운데 있어서 인간 활동의 직접적 영향을 받지 않은 무인도들은 지구의 마지막 원시지역이고, 오아시스나 다름없어. 크로제군도, 케르겔렌군도, 생폴섬과 암스테르담 제도와 남인도양에 흩어져 있는 여러 섬으로 구성되어 있고. 해양 조류나 포유류가 살고 있는 곳은 인간의 영향을 받지 않은 채 많은 종류가 살고 있어.

- 역시 자연 그대로, 사람의 손이 닿지 않은 곳이 보존할 가치가 있어요. 새들은 많이 살아요?

- 안 그래도 이야기하려고 했는데, 여기는 새들을 보존하기 위해 자연이 마련한 특별한 곳인 셈이야. 세 개의 해류가 모이는 곳에 큰 대륙붕도 발달해서 먹이가 풍부해. 최대 47종의 새가 사는데 약 5천 마리 이상이 여기 살아. 16종은 여기에 절반이 살고 있어. 보호를 위해 마련된 특별한 장소라고 생각하면 돼.

- 펭귄이 산다고 들었는데.

- 맞아. 세계에서 제일 많은 킹펭귄이 크로제제도, 일 오 코숑에 살고 있어.

- 생각나요, 킹펭귄! 황제펭귄 다음으로 큰 펭귄인데 수컷은 알을 부화시키기 위해 100일이 넘게 단식하면서 집단으로 부화시킨다는 펭

권이지요.

- 다른 동물은요?

- 세계에서 두 번째로 많은 코끼리바다물범이 케르켈렌제도 쿠르베 반도에 살고 있어. 그리고 세계에서 세 번째로 많은 아남극 물개가 살고 있지. 케르켈렌 고유종인 머리코돌고래도 살고. 아, 차! 암스테르담 섬 가파른 절벽에 무리 지어 사는 노랑코 앨버트로스를 빼 먹었는데 세계적 규모야.

- 저 앨버트로스 알아요. 단번에 5,000킬로미터까지 날아가는 놀라운 새. 큰 날개 때문에 '바보 새'라고 놀림 받기도 하지만 거친 바람이 불면 절벽 끝에 자신을 곧추세우는 자유로운 영혼, 신천옹이라 부르는 새, 너무 존경스러워요.

- 이런 넓은 곳을 보호하지 않으면 안 되는 이유를 알겠지? 굳이 지구를 구하기 위해 탄소 절감이나 중립을 들먹이지 않더라도.

21. 소코트라 군도 (예멘)　　　　인도양의 갈라파고스, 용혈수

- 이곳에 발을 디디면 놀라지 않을 사람이 없어. 한 번도 본 적이 없는, 비행접시나 우산처럼 생긴 '용혈수'(드라카에나 시나바리)라는 나무 때문이야. 용피나무라고 부르기도 해. 비가 적은 지역이라 나뭇잎이 수분을 빼앗기지 않도록 침엽수 모양을 하고 있는데 상처가 나면 사람이나 동물처럼 피를 흘려.

- 용혈수(龍血樹)라면 용의 피를 말하는가요?

- 그래 맞아. 용의 피라고 생각해서 진통제나 지혈제, 중세 시대에는 연금술에 쓰였어. 화장품, 염료, 시신 보존에도 쓰였고, 다음은 사막의 장미로 불리는 아데니움. 붉은 꽃이 피어 있어 환상적인데 줄기를 보면 코끼리 허벅지처럼 생겼어. 건조한 기후에서 살아남으려면 그럴 수밖에 없을 거야.

- 맞아요. 사막의 선인장도 그렇잖아요.

- 도스테니아 기가스라는 식물도 있어. 산호 모양으로 5미터까지 자라는데, 집에서 키우려면 부담스러울 거야. 씨앗이 고가이고 식물도 마찬가지거든. 여기서도 보기 힘든 오이트리도 있어. 어린 왕자에 나오는 바오밥나무도 있고.

- 어린 왕자요?

- 아마 어린 왕자를 쓴 생텍쥐페리는 이 나무를 어디에선가 보지 않았을까 싶다. 바오밥나무는 생명력이 강한 나무인데 높이는 20m까지 자라고 5천 년을 산다고 해. 저장해 둔 물 덕분에 줄기가 통처럼 부풀어 올라 '병나무'라고도 불리고.

- 그래서 실의에 빠진 어린 왕자가 바오밥나무의 싹을 뽑았군요.

- 어린 왕자에 나오는 바오밥나무는 별을 파괴하는 나쁜 나무지만, 사실은 곤충들이 편히 쉬고, 동물이나 사람에게 식량을 제공하는 착한 나무, 아낌없이 주는 나무야. 그런데 이 나무가 지구 온난화로 인해 죽어가고 있다는 소식이 들려.

- 소코트라로 모두 데려와야겠어요. 여기가 바로 인도양의 갈라파고스라고 하잖아요.

- 좋아. 소코트라 군도는 아프리카의 뿔처럼 툭 튀어나와 있는데 오랜 세월 육지와 격리되어 있어서 원시 생태계가 잘 보존되어 있어. 여기서밖에 볼 수

없는 다양하고 풍부한 고유종 동식물이 살아남은 이유야.

- 풍부한 동식물이 산다고요?

- 응. 벌새처럼 생긴 태양새, 찌르레기, 가마우지, 멧새, 시스티콜라가 여기에 살아. 그뿐이 아니야. 소코트란 석류, 보스웰리아 소코트라나도 살아. 이 섬의 동식물을 보면 지구가 아닌 외계에 온 것 같은 생각이 들어. 이 지역에는 825종의 식물이 사는데 그중 307종이 고유종이야. 식물 종 1/3 이상이 다른 곳에서 볼 수 없는 희귀종이고. 그뿐 아니야. 새들에게도 아주 중요한 곳이야. 멸종 위기에 처한 새, 많은 종이 여기에 살아. 육지새 바닷새 할 거 없이.

- 태양새는 태양을 닮았나요?

- 그런 면이 있지. 태양새는 작은 곤충이나 거미, 꽃꿀을 먹고 사는데 벌새처럼 생겨 혼동될 수도 있어. 꽃 앞에서 정지비행을 하며 꽃꿀을 빠는 것도 꼭 벌새 같아. 부리는 가늘고 아래로 구부러졌고, 혀는 대롱 모양으로 길어. 그런데 번식기가 되면 수컷의 깃털이 붉은색, 자주색, 노란색, 파란색이 섞인 것으로 바뀌어. 그보다 화려할 수 없다 싶을 정도야.

- 보스웰리아 소코트라나는 식물인가요?

- 보면 볼수록 매력적인 아프리카 식물인데 잎 모양이나 잎맥이 레이스로 만든 것처럼 섬세하고 잎자루도 특이해. 아주 여리게 보이는가 하면 강인함도 엿보이고. 좀 비싸고 구하기 어렵지만 키워 볼 만해.

- 육지에서 오래 떨어져 폐쇄적인 상태로 있어서 그런가 봐요.

- 소코트라 군도는 인도양 북서부에 아덴만 부근에 있어. 길이가 250킬로

미터 정도이고, 4개의 섬과 두 개의 작은 바위섬으로 이루어져 있어. 기후는 뜨거우면서 건조해. 석회암지대라 고원과 동굴이 있고, 1525미터의 높은 산도 있어.

- 화산섬인가 보지요.

- 그렇지는 않아. 대륙에서 멀리 떨어져 있으니 화산섬인가 보다 생각할 수도 있는데 그건 아니야. 신생대 마이오세에 떨어져 나온 대륙의 일부야.

- 소코트라 역사도 재미있을 것 같아요.

- 옛날에는 홍해와 인도양의 해상교통로로 이용된 곳인데, 페르시아 진주, 유향, 몰약, 중국 비단, 인도 면포, 아프리카 상아를 거래하기 위해 대상인들이 머물던 저택이 있던 곳이야. 소코트라는 산스크리트어로 '더없는 행복'이라는 뜻이고.

- 아, 행복한 곳이군요. 어린 왕자에 나오는 바오밥나무도 있고.

- 꼭 그렇지는 않아. 1980년대 동서냉전기에 구소련이 남예멘에 지원한 전차가 해안에 버려져 있어. 소련제 T-34/85 전차인데 비와 해풍에 부식되어 벌겋게 녹이 슬어 사람들의 마음을 아프게 하지.

- 지금도 사람이 살지 않아요?

- 아니야. 현재 5만 명 이상의 주민들이 주요 섬에 살고 있어. 고기를 잡거나 가축을 기르고 대추를 재배하면서. 그런데 대중교통도 없고 도로만 두 개 나 있어.

- 아니, 사람이 많이 살면 보존하기가 힘들지 않아요?

- 그냥 대체로 잘 보존이 되고 있기는 한데 방목이나 도로포장, 천연자원 남획 등의 문제가 남아 있어. 장차 미래에는 외래종이 침입할 수도 있고. 그러면 관광이 지속되기 어려울 수도 있지.

22. 상가넵 해상국립공원과 동고넵-무카와르섬 해상국립공원
(수단) 산호초와 만타가오리

- 여기에 오니 우리나라 완도의 다도해해상국립공원이나 남해안의 한려해상국립공원이 생각나요.
- 모두 바다의 국립공원이지. 여기는 상가넵 해상국립공원과 동고넵-무카와르섬 해상국립공원, 2개의 지역으로 나누어져 있어. 2016년에 유네스코 세계유산으로 등재되었고. 그런데 사람의 발길이 많이 닿았을까, 닿지 않았을까?
- 당연히 사람의 발길이 닿지 않았겠지요. 그랬다면 보호해야 할 자연환경이나 동식물이 남아 있겠어요?
- 서글픈 일이지만 사실이 그렇단다. 상가넵은 수단의 해안에서 약 25km 정도 떨어져 있는 산호초이면서 홍해의 하나밖에 없는 환초(atoll)야. 동고넵 만과 무카와르 섬은 포트 수단에서 북쪽으로 약 125km 정도 떨어져 있고.
- 홍해라면 모세가 이스라엘 민족을 이끌고 건넜다는 바다가 아닌가요?
- 인환이도 홍해를 아는구나.
- 영화 모세에 나와요. 모세가 바다 위로 팔을 내밀었더니 바닷물이 갈라지는 장면이요. 그런데 우리나라 진도에도 바닷길이 갈라지는 현상이 있잖아요.
- 한국판 모세의 기적이지. 매년 음력 2월 그믐의 영등사리와 6월 중순경에 바닷물이 갈라져.
- 이유가 궁금해요.

- 주로 서해안이나 남해안, 조수간만의 차가 심한 곳에 일어나. 조수
가 아주 낮아졌을 때 수심이 얕은 지형이 해수면 위로 모습을 드러나
는 거지. 진도 말고도 경기 제부도, 인천 실미도, 경남 소매물도 등이
유명해.

- 정말 모세가 이스라엘 민족을 이끌고 홍해를 건넜을까요?

- 성서학자들은 홍해가 아니라 소금호수를 지났다는 견해를 제시하
고 있어. 히브리 성경에 보면 이스라엘 민족이 건넌 지점이 얌수프
(Yam Suph)로 되어 있거든. 히브리어로 얌(Yam)은 붉다(紅붉을홍,
영어로 red)는 뜻이 아니라 갈대(Reed)란 뜻인데 번역자가 혼동을
일으켜 붉다는 뜻으로 본 거지.

- 사람 눈은 참 믿을 수가 없어요.

- 그것 말고도 있어. 성경에 부자가 하나님 나라에 들어가는 것보다
낙타가 바늘구멍에 들어가기가 쉽다는 말씀이 있는데, 이것도 오역이
라고 해. 발터 그래머가 지은 상식의 오류사전 747에 보면 말이야. 갈
릴리 지방의 예수가 아람어로 밧줄(gamta)이라고 했는데, 나중에 그
리스어 번역자가 착오로 밧줄(gamta)을 낙타(gamla)로 혼동했다는
거야. 그래서 우리는 낙타와 바늘구멍을 연결해서 말하게 되었다는
거지.

- 가만, 철자 하나가 다를 뿐인데. 어마어마한 차이가 있어요.

- 그런 일이 많아. 눈을 똑바로 뜨고 정신 차리고 살아야 해.

- 산호초와 환초라는 용어가 나오니 기억이 가물가물한데 바다가 무
지 아름다울 것 같아요.

- 맞아. 산호가 살아있는 동물이라는 건 기억나지. 산호초는 산호의

분비물과 골격이 쌓여서 생긴 암초고. 그것이 섬이나 육지 주변에 생기면 거초, 섬이나 육지에서 떨어지거나 평행하게 발달하면 보초, 섬이 가라앉고 그 둘레에 둥글게 남으면 환초야.

- 아, 이제야 생각난다.

- 지구에서 가장 북부에 있는 상가넵 환초는 수심 약 800미터 바다에 둘러싸여 있는데 얼마나 아름다운지 몰라. 산호초들이 풍부하니까 거기 사는 해양생물들도 다양하고 많아. 300종이 넘는 물고기들이 살면서 알을 낳는 곳이야. 돌고래, 바다거북, 상어가 쉬고 번식하고 먹이를 찾는 곳이기도 하고.

- 산호초가 생물들 안식처가 맞기는 맞아요.

- 그렇지. 동고넵만에는 무카와르 섬을 비롯해서 여러 섬들이 포함되는데 광대한 맹그로브 숲, 갯벌, 해초들이 있어 수많은 생물이 살게 해주지. 상어, 만타가오리, 멸종 위기에 놓인 듀공도 살고 있어.

- 만타가오리, 물속에 들어가 보고 싶어요.

- 스노클링하고 싶다고? 만타가오리가 사는 곳은 물살이 세. 큰 가오리 잘못 건들면 물어, 큰일 나!

- 진짜요?

- 흐흐. 아니야. 생김새나 덩치에 비해 아주 온순해. 플랑크톤을 주식으로 하고 새우보다 큰 건 못 먹어.

- 만타가오리가 갈수록 궁금해져요.

- 만타가오리는 지느러미 너비가 7~8미터이고 무게가 1톤가량이야. 어마어마하게 크지. 수명은 80년 정도이고. 수영하는 모습이 꼭 모포가 나풀거리는 것처럼 보여 스페인 사람들이 '만타가오리'라는 이름

을 붙였어. 우리나라에서는 머리 지느러미가 꼭 쥐의 귀 같아서 '쥐가오리'라고 부르고. 영미권에서는 악마의 뿔을 닮았다고 '악마가오리'라고 불러.

- 으이그, 진짜 무서워요. 다른 멸종 위기종들은 없어요?

- 멸종 위기에 처한 조류, 육지새와 바닷새가 살아. 달팽이의 95%, 파충류의 90%, 식물의 37%가 다른 지역에는 없는 고유종이야.

23. 알다브라 환초 (세이셸)   세계에서 가장 큰 환초

- 알다브라 환초는 어떻게 만들어졌을까요?

- 천천히 아주 천천히.

- 놀리지 마시구요.

- 그것도 12만 5천 년 동안 산호초가 쌓여 반지 모양의 산호초 섬을 만들었어. 접근하기 어렵고 식수도 부족하지만, 산호초 석회암이 사람이 올라서기 힘들게 뾰족한 모양으로 생겼어.

- 그 덕분에 멸종 위기 동식물이 살아있을 수 있었다, 이런 얘기 하려는 거죠.

- 아하, 놀라운 발전이네. 7세기까지 세이셸에는 아무도 살고 있지 않았어. 아무튼 그 덕분에 알다브라 환초에는 19세기 말에 멸종된 것으로 알려진 코끼리거북(giant tortoises)이 15만 마리나 살고 있어. 녹색거북(green turtle)이나 심각한 멸종 위기에 처한 대모거북(hawksbill turtles)같은 멸종위기종도 알다브라 해변에서 알을 낳

아. 부비와 제비갈매기, 세계에서 두 번째로 개체수가 많은 군함새 군락, 어마어마한 물새 군락, 열대조가 살고 있고.

- 그야말로 환상의 섬이네요. 산호초가 있는 바다는 또 얼마나 아름다운지. 동물이나 식물도 좋아하네요.

- 1960년대 초에 영국 해군이 기지를 세우려 한 적은 있어.

- 기지를 세웠다면 지금의 알다브라 환초는 세계유산이 되기 어려웠겠어요.

- 맞아. 다행히 영국왕립협회와 미국 스미소니언 재단의 중재로 해군기지 건설이 중단되었어. 그래서 세계에서 가장 뚝 떨어진 외딴곳에 훼손되지 않은 자연이 남아 있게 되었어.

- 정말 다행이에요.

- 세계에서 가장 큰 환초 속에 들어가는 알다브라 환초는 산호초, 환초, 석호로 나뉘어져 있어. 썰물이 되면 텅 비는 석호에 밀물이 들어오면 수심이 3미터나 되는 석호를 네 개의 거대한 산호섬이 에워싸고 있다고나 할까.

- 멸종 위기에 처했거나 다른 곳에 없는 동물도 있다고 들었어요.

- 수년 전부터 보이지 않지만 알다브라휘파람새, 알다브라까마귀도 살아. 세이셸제도에서는 사라진 줄 알았던 야자집게가 코코넛을 찾아 해변을 누비고. 제비갈매기 수천 마리가 둥지를 틀고 있고, 포유류인 큰 박쥐도 살고 있어.

- 야자집게는 가재처럼 생겼나요, 꽃게처럼 생겼나요?

- 꽃게와 더 비슷하다고 해야 하나. 아무튼 희귀식물이 많아. 부간빌레스, 코코 드 메르 야자와 같은 식물이 자라고 있는 원시림이

있어. 수천 종의 바다새가 살고 있는 버드, 아리드, 같은 섬도 있어. 다양한 생물들이 어우러져 살고 있는데 심지어 여우, 게코우도 있어.

- 코코 드 메르요? 처음 들어보는데.

- 그렇지. 세계에서 딱 두 군데 섬에서만 자라는 코코 드 메르는 야자수 일종인데 열매가 꼭 비너스를 닮았어. 그리고 씨앗이 얼마나 큰지 몰라. 세상에서 가장 클 거야. 무게가 22킬로그램이나 나가니까. 그런데 은행나무처럼 암나무 수나무가 따로 있어서 사랑을 하려면 아주 힘이 든다는 것.

- 날지 못하는 새도 여기 살지요?

- 알다브라 흰목뜸부기 이야기 말이구나. 날지 못하는 새는, 이곳 말고도 호주의 에뮤도 있고, 화식조, 뉴질랜드의 키위, 남반구에 사는 펭귄, 갈라파고스에 사는 가마우지도 있지. 멸종된 도도새도 있고.

- 칠면조는요?

- 칠면조는 날 수 있어. 그런데 영국 포츠머드대와 런던 자연사박물관 연구진이 수행한 공동 연구에 의하면, 마다가스카르섬에서 출발한 뜸부기가 알다브라제도(약 40만 년 전 형성)에 상륙해 도도새처럼 날 수 없도록 진화했는데, 약 13만 6000년 전에 해수면 상승으로 모조리 바다 밑으로 가라앉았어. 그런데 빙하기가 다시 찾아와 해수면이 낮아진 알다브라 제도에 마다가스카르섬에서 출발한 뜸부기들이 날아와 다시 살게 되었는데 말이야. 어찌 된 일인지 3만 년 전에 그랬던 것처럼 날지 못하도록 다시 진화했다는 얘기

지. (린네학회 동물학 저널 2019. 5. 16 서울신문 나우뉴스)

- 알다브라가 새들이 살기 좋은 땅인가 봐요.

- 글쎄. 그럴지도 모르겠다. 여기서 문제. 땅 위를 느리게 걸어가는 거북이는 초식일까요, 육식일까요?

- 거북이는 파충류니까 당연히 초식이겠지요. 흐흐

- 그런데 저스틴 걸락 생물학자 과학저널 '커런트 바이올로지'에 발표한 것을 보면 코끼리거북이 제비갈매기 새끼가 땅에 떨어지니까 사냥하는 모습을 비디오에 담았어. 놀랍지 않니?

- 과연 자연은 사람이 알기 힘들어요. 정말 신비해요.

24. 이시망갈리소 습지공원 (남아프리카공화국)
아프리카 자연 생태공원

- 이번에는 1999년 남아프리카 공화국 최초의 세계유산으로 지정된 곳, 과거에는 '세인트루시아'라고 불렸는데, 지금은 이시망갈리소 습지공원이라고 불리는 곳이야.

- 세인트루시아가 하나 더 있어요?

- 응. 중앙아메리카 카리브해 동부에 있는 작은 섬나라 이름이 세인트루시아야. 한국에 함양이라는 지명이 있고 중국에도 있는 것처럼 말이야.

- 습지공원이라고 하니 우리나라 람사르습지 순천만이 생각나요.

- 습지는 오염물질 정화하는 능력이 크고 플랑크톤이 풍부해서 곤

충이나 어패류도 살아 철새들이 좋아하는 곳이야. 순천만 습지는 해안 하구의 원형이 그대로 보존된 곳이지. 갯벌에 사는 작은 생명이나 철새들의 서식지로, 수로 위로 넘어가는 석양이나 가을이면 볼 수 있는 황금빛 갈대밭이 유명해.

– 람사르습지로 등록된 곳은 몇 곳인가요?

– 제주시 동백동산, 인제군 대암산용늪, 창녕군 우포늪 등 내륙습지 3곳과 순천만 갯벌 등 연안습지 1곳이야.

– 참 한국의 갯벌도 2021년에 세계자연유산에 등재되었어요.

– 맞아. 충남 서천갯벌, 전북 고창갯벌, 전남 신안갯벌, 보성벌교 및 순천만 갯벌이야. 여기에 멸종위기종인 검은머리물떼새, 황새, 흑두루미 등이 살아. 또 멸종 위기의 철새의 47퍼센트가 목적지로 가는 도중 여기에 잠시 들러 쉬면서 숨을 고르는 기착지이기도 하고.

– 이시망갈리소는 무슨 뜻인가요?

– 줄루어로 기적, 놀라운 것이라는 뜻인데 과연 놀라운 곳이야. 남아프리카공화국 쿠아줄루-나탈 주 해안선을 따라 남북으로 280km에 걸친 최고의 아프리카 자연생태 공원이야. 인도양에서 바닷물이 흘러들어와 습지가 형성된 이곳은 아열대와 열대 기후대에 걸친 탓인지 수백 종의 조류, 열대우림식물, 120여 종 포유류 등으로 인해 수많은 관광객이 찾는 세계적인 생태관광지야.

– 놀라운 습지공원이군요.

– 등재기준이 된 놀라운 현상 세 가지만 이야기할게. 먼저 세인트 루시아 호수의 염도가 건기와 우기에 따라 변하며 기후에 반응한

다는 거야. 두 번째는 수많은 돌고래가 헤엄치고, 고래와 고래상어가 먼바다로 가는 모습이야. 또 수많은 거북이 해변에 알을 낳은 모습. 세 번째는 수없이 많은 물새와 황새, 왜가리, 제비갈매기가 떼를 지어 모여 사는 모습, 이곳에서 번식하는 펠리컨도 인상적이고.

- 케이프 비달에 갔다가 세인트루시아로 가요.

- 좋아. 케이프 비달에 가면 다양한 초식동물도 볼 수 있어. 버팔로, 거대한 뿔이 있는 쿠두, 나무 그늘에서 휴식을 취하는 사슴들, 어미 품바와 새끼들이 노는 풀밭, 해변에 가면 모래사장이나 바다, 하늘이 얼마나 깨끗하고 투명하고 푸르른지 몰라. 해변에서는 아이들과 모래 장난을 하며 놀 수 있고, 파도가 심하지 않은 곳에서 스노클링을 할 수도 있어. 그런데 허가 없이 홍합이나 게를 잡으면 안 된다는 것.

- 그렇군요. 세인트루시아는요?

- 세이트 루시아 하구를 보면, 꼭 부산 사하구에서 낙동강 하구를 보는 모습과 닮았어. 거기에 하마가 해질녘에 수영을 하고 있으면 되는 거지.

- 하마요?

- 응. 남아프리카공화국에서 가장 많은 하마가 서식하고 있고, 악어도 볼 수 있어.

- 하마는 몇 마리나 되는데요?

- 천 마리 정도 된다고 들었어. 배를 타고 가면 하마가 물에서 노는 모습을 볼 수 있어. 갈대숲 사이로 예쁜 새집도 보이는데, 악어에게 밥을 주지 마시오, 라는 경고판도 있지. 여기서 가장 큰 포유

류는 향유고래와 아프리카코끼리인데 살아 바닷물고기 실러캔스 화석이 발견되어 한동안 떠들썩했지. 참, 화이트백 펠리컨과 핑크백펠리컨 등이 살고, 플라밍고도 살고 있고.

- 플라밍고요?

- 응, 플라밍고는 라틴어로 '불꽃과 같은 색'이라는 뜻으로, 우리가 홍학이라 부를 때의 홍(紅붉을홍)이야. 깃털이 분홍색 계통인데 날개는 검은색도 있어. 물갈퀴가 있어 진흙이 노출된 얕은 물이나 호수의 섬에서 무리 지어 사는데 물갈퀴가 있어 잘 빠지지 않아. 한 번에 알을 하나만 낳아 기르는데 남유럽, 아프리카나 인도, 카스피해에 살아. 그런데 플라밍고 새끼는 회색이나 흰색이야. 왜일까?

- 자라면서 바뀌는 게 아닐까요?

- 맞아. 플라밍고가 게나 새우 같은 갑각류를 좋아해서 많이 먹다 보니 붉은색으로 변한다는 거지. 그리고 플라멩코는 스페인 안달루시아 지방에서 유래한 음악과 춤을 말하는데 삶의 애환이 담겨 있대. TV에서 빨간 머리 장식에 빨간 드레스 입은 무용수가 춤을 추는 거 한 번은 보았을 텐데.

- 무척 평화로워 보여요. 여기서 살면 안 될까요?

- 꼭 그렇지는 않아. 밤에는 하마들이 호수에서 올라와 돌아다녀. 적어도 50미터 정도 간격을 유지하지 않으면 죽을 수도 있어. 3.5미터나 되는 습지 악어도 돌아다녀.

25. 고프섬과 이넉세시블섬 (영국)

세계에서 가장 큰 물새들이 사는 곳

- 혹시 쇠물닭이 어찌 생겼는지 아니? 뜸부기 종류인데 우리나라
에도 사는 여름새야.

- 흐흐 잘 모르겠어요.

- 부리는 노란색 빼고 붉은데, 이마에 달걀 모양의 붉은 판이 있
어. 못이나 농경지에 살고, 수초가 우거진 곳에서 번식하고. 고프섬
에는 고프섬쇠물닭이 사는데 쇠물닭보다 크기는 더 작고 육중한데
날지를 못해. 카카포앵무새나 티티카카논병아리처럼. 아, 고프멧새
도 같이 사는구나.

- 새들만 살아요?

- 그럴 리가! 새가 많이 살기는 하지. 외부에서 포유동물이 들어
오지 않은 온대의 섬이라 그런지 어디에서도 못 보는 2종의 새, 8
종의 식물, 10종의 무척추동물이 있지. 그뿐이 아니야. 여기에서만
사는 육상식물 종과 동물 종들이 있고, 60종 해양생물이 여기서만
살아.

- 흐흐. 그렇다면 생물학적으로 아주 중요한 섬이고, 사람이 들어
온 적이 거의 없는 곳이죠? 해변을 둘러싸는 가파른 절벽이 있을
것이고.

- 이제 곧 해양유산의 달인이 되겠구나. 길고 복잡한 활동을 거쳐
만들어진 온대의 화산섬인 이곳은 인간이 거주하는 지역에서 가장
멀리 떨어진 곳이야. '이넉세시블'이라는 말은 접근하기 어렵다는

뜻이고. 가파르고 아름다운 절벽이 원래의 자연을 그대로 잘 보존하는 데 큰 역할을 했어. 포유동물의 진입을 막음과 동시에 세계에서 가장 크고 중요한 바닷새의 집단서식지가 되었지.

- 사람이 산 적은 있는가요?

- 영국 세인트헬레나 속령 트리스탄 다쿠냐 군도는 1506년 포르투갈인에 의해 처음 발견되었는데, 후에 무자비한 물개 사냥꾼이 10년 정도 산 것을 빼고는 거의 흔적이 없어. 지금은 1956년 무렵 생긴 기상대에 6명의 과학자가 거주할 뿐이야. 구조물에는 기상대, 저장실, 통신시설, 헬리콥터 착륙장이 전부이고.

- 세인트헬레나섬에 보나파르트 나폴레옹이 귀양 가지 않았나요?

- 맞아. 백일천하 이후 세인트헬레나섬에 귀양 와서 6년을 살았는데 트리스탄 다쿠냐 군도 고프섬은 위도상 좀 더 아래쪽에 있어. 고유종 조류 서식지 으뜸가는 곳인데 54종이나 서식하고 있다고 해.

- 새들이 많다고 했지요?

- 응. 바닷새 20종이 여기서 번식하고, 취약종인데 눈썹처럼 달린 노란색 깃털과 머리 윗면에 머리카락처럼 보이는 검은색 깃털이 있는 바위뛰기펭귄, 대서양슴새 역시 번식하며 살고. 큰슴새, 작은 슴새 수백만 쌍도 여기서 알을 낳아. 아, 매우 공격적인 포식자 큰풀마갈매기도 잊고 있었네. 인환이가 잘 아는 거대한 날개를 가진 앨버트로스도.

- 세계에서 가장 중요한 바닷새 집단서식지가 맞는가 봐요. 그런데 펭귄이 바위뛰기를 해요?

- 펭귄은 해변이나 바위로 된 벼랑에 사는데 다른 펭귄들은 살짝 미끄러지거나 날개를 이용해 장애물을 통과하는데 바위뛰기펭귄은 좀 달라. 발로 점프를 해서 바위나 틈을 건넌다는 거지.

- 아하, 놀랍군요.

- 그래. 바다에도 고유의 포유동물이 2종 있어. 먼저, 섬 전역의 해변에 새끼를 낳는 아남극물개가 있는데 물개는 수영을 잘하지만 육지에서도 잘 움직여. 귀덮개가 있고 뒷지느러미를 앞으로 돌릴 수가 있거든.

- 이번에는 어떤 동물이 나올까요?

- 동쪽 후미진 해변에 새끼를 낳는 남방코끼리물범이 있어. '남방코끼리바다표범'이라고도 하는데 평생 대부분을 바다에서 보내고 번식이나 출산 또는 털갈이할 때만 육지로 돌아와. 그밖에 흰배낫돌고래, 남방참고래도 보호구역 안에 모습을 드러내고 있어. 그런데 이상한 일이지만, 파충류, 양서류, 담수어와 육상 포유동물은 없어. 외부에서 유입된 집쥐는 곳곳에서 살고 있지만. 여기서 문제! 해양유산인 이곳 바다의 플라스틱 쓰레기는 어디에서 오는 것일까?

- 아마 육지에서 사람들이 버린 것이 바다로 흘러가지 않았을까요?

- 부근에 사람들이 많이 사는 곳이면 그럴 수도 있겠지. 미국 국립과학원회보와 외신에 따르면, 케이프타운대학(대학 산하 피츠패트릭 아프리카 조류연구소) 피터라이언 소장이 이끄는 연구팀이, 남대서양 망망대해에 떠 있는 무인도 '이넉세시블섬' 해안에 밀려

드는 생수병이나 플라스틱 쓰레기는 과연 어디서 왔을까, 분석했더니 말이야.

- 분석했는데, 뭐라고 나왔는데요?

- 세상에나, 주변 해역을 오가는 상선에서 버린 거였어.

- 세상에나! 어쩌면 그런 일이!!

26. 브라질 대서양 제도 : 페르난두 데 노로냐와
아톨 다스 로카스 보호지역 (브라질) :
세계 최고의 해변이 있는 곳

- 이번에는 세계에서 아름답기로 유명한 해변으로 가볼까? 사람들은 힘들고 어려운 일이 있을 때 파도치는 해변을 거닐며 노래를 부르기도 하고, 사랑하는 이와 함께 모래가 고운 해변을 거닐며 행복을 꿈꾸기도 하고.

- 바다는 그런 매력이 있어요. 발은 해변의 모래를 밟고요.

- 좋아. 이제 브라질에 있는 페르난두 데 노로냐 주 바이아 두 산초로 가볼까. 바이아 두 산초까지 가는 길은 힘들어. 거대한 암석이 앞을 턱 가로막는데 돌계단이나 사다리를 타고 들어가야 하거든. 그런데 그 안에 도착하면 이제 입을 다물지 못할 지경이 돼. 깨끗하고 하얀 모래, 파도는 영화의 배경처럼 부서지고. 바다에는 가오리와 돌고래, 상어가 춤을 추고. 브라질은 이 섬을 보호하기 위해 하루 500명으로 출입을 제한하고 있어.

- 천국이 따로 없네요.

- 물이 빠진 로카스 환초도 마찬가지야. 석호를 둘러싸고 있는 빛나는 산호초가 모습을 드러내고, 곳곳의 웅덩이에는 수족관처럼 물고기들이 헤엄치는 것이 눈으로 보이지. 남대서양 유일의 환초인데 수많은 상어나 돌고래, 거북이, 바닷새가 여기 살아. 바닷속에 풍덩 뛰어들면 어떤 비경이 나타날지 생각만 해도 즐겁지 않니?

- 다이버들에게 사랑받는 곳이군요.

- 이번 유산은 브라질의 페르난두 데 노로냐제도와 로카스환초 보호지역이야. 남대서양에 사는 다양한 생물종을 보존하고 멸종 위기에 처한 생물을 보호하는 데 아주 중요한 곳이지.

- 어떤 생물이 살아요?

- 인환이가 좋아하는 참치도 살고, 상어도 살아. 등갑이 아름다워 멸종 위기에 처한 대모거북과 우리나라에도 모습을 드러내는 푸른 바다거북도 살고.

- 대모거북 등갑이 그렇게 아름다워요?

- 그래. 산호초가 많은 지역에 사는데 너도 실지로 보면 반할걸. 등갑이 다갈색이나 황갈색을 띠는데 이것 때문에 멸종 위기에 처했어. 대모세공용으로 고가에 팔리거든.

- 거북이는 어떻게 숨을 쉬어요?

- 우리는 보통 거북이라고 부르지만, 그냥 '거북'이야. 바다에서 사는 거북도 있고 육지에서만 사는 거북도 있는데, 육지거북 등껍질이 더 단단해.

- 바다거북은 어디서 잠을 자요?

- 주로 바다 밑바닥 으슥한 곳에 들어가서 자는데 사람처럼 폐로 호흡하기 때문에 숨을 쉬려면 물 위로 올라와야 해. 그러나 거북은 잠을 자거나 쉴 때 4~7시간 정도는 숨을 참을 수 있어. 하지만 그 이상은 힘들어.

- 그래도 대단해요. 30분이나 한 시간도 아니고 몇 시간이나 숨을 참다니, 올림픽 금메달감이네요.

- 좀 더 들어줘. 알을 낳을 때는 해변으로 올라와 모래 구덩이를 파고 알을 낳는데 이때 명당을 차지하기 위해 혈투를 벌여. 모래알이 너무 굵으면 땅 파기가 힘들고, 가늘면 무너지기 쉽거든.

- 사람 사는 것과 다를 바 없어요. 살기 위한 경쟁이 심하군요. 학세권, 역세권, 숲세권.

- 그러는 와중에 알의 70%가 훼손되는데 남이 파 놓은 구덩이를 헤치고 자기 알을 낳는 거북들이 많거든. 그렇다고 남은 알이 포식자의 눈을 피할 수 있느냐, 그것도 아니지. 부화해서 바다를 향해 가는 순간까지 거북은 수없이 잡아먹혀. 자, 슬로모션으로 재연해 볼까? 알에서 막 깨어난 거북. 바다까지의 거리는 100미터. 거북이 딛고 있는 곳은 어디에도 숨을 곳 없는 탁 트인 모래사장. 미친 듯이 달려야 살 수 있는데 이제 막 태어난 거북이 무슨 힘으로 달릴까. 갈매기나 황새 눈에 띄기만 하면 삶이 피기도 전에 끝나는 거지. 어떻게 개체수를 유지하며 살까 싶어.

- 아, 서글퍼라. 생긴 모습만 다르지 사람 사는 것과 어쩌면 이리 비슷한지 몰라요.

- 그렇다고 우리가 이런 식의 생존경쟁을 정당화하는 것은 좀 곤

란해. 사람은 다른 식으로 공존하며 사는 방법을 배우고 실천할 수 있거든.

- 아무튼 소중하게 보호해야 할 섬이 틀림없어요.

- 한 마디로 해양생물의 오아시스라고 할 만해. 서대서양에서 가장 많은 열대 바닷새가 살고, 섬 지역 연안 숲의 특징을 잘 간직하고 있고, 해양 맹그로브를 잘 보호하고 있는 유일한 곳이고. 아차, 긴부리돌고래가 1200마리 넘게 바이아 데 골피뇨스에 머물러 사는 것을 잊었구나. 가늘고 긴 주둥이에 몸매가 잘 빠진, 한 번 점프에 7번까지 회전하는 돌고래.

- 우와! 일곱 번이나 회전해요?

- 그래. 또 잊은 게 있구나. 여기에 2종의 파충류가 사는데 그중의 하나, 희한한 뱀이 있어.

- 어떤 뱀이길래 그래요?

- 머리가 두 개인 쌍두뱀.

- 으이그. 무서워.

27. 발데스 반도 (아르헨티나)　　　고래보호지역

- 여기는 세계적인 해양동물 서식지야. 아르헨티나가 고래보호구역으로 지정했고, 1998년에는 세계유산으로 지정된 곳이야. 아르헨티나 동부 추부트주에 있는데 남방긴수염고래, 남방코끼리물범, 남아메리카바다사자의 번식지이고. 남방긴수염고래가 꼬리를 얼마나 우

아하게 휘두르는지 보면 놀랄걸.

- 여기가 어딘데요? 못 맞추겠어요.

- 그런데 2022년 8월 무렵 SNS에 쓰레기 더미를 헤치고 거대한 몸을 이리저리 움직이는 남방코끼리물범 모습이 올라와 사람들에게 충격을 주었어. 여기는 아르헨티나 발데스 반도야.

- 그래서 어떻게 됐어요?

- 당국에서 조사를 해 보니 푸에르토 피라미데 바닷가 80%가 플라스틱으로 오염돼 있는 것이 밝혀졌어.

- 누가 버린 거래요?

- 오징어와 새우잡이 어선들이 버린 그물과 플라스틱이었어.

- 어쩌면 좋을까요? 사람들이 지나간 자리에는 쓰레기가 남는다더니. 발데스 이야기나 해주세요.

- 그래. 아르헨티나 발데스 반도는 남대서양을 향해 동쪽으로 툭 튀어나와 있는데 꼭 그 모양이 다리 하나 있는 코끼리 모양 달고나 같아.

- 거기 사는 동물들도 달고나를 아나 보지요.

- 그럴지도 모르지. 여기를 봐. 모래사장, 자갈해안, 개펄이 있는 늪지, 얕고 작은 만과 작은 섬, 암벽이 있는 풍경이 보이지? 여기가 바로 멸종 위기인 남방긴수염고래 1500마리 정도가 겨울이 시작될 때 도착해서 5월과 12월 사이 조용하고 따뜻한 누에보만과 산호세만에서 짝짓기하는 곳이지. 태어난 새끼는 여기서 여러 가지 놀이를 배우고, 여름이 오면 동물플랑크톤 등 먹이를 찾아 남극으로 떠나지. 남아메리카바다사자와 남방코끼리물범도 여기서 번식을

해.

- 해양 포유류에게 특별한 곳이군요.

- 매년 여름에 남방바다사자 7000마리, 남방코끼리바다표범 5만 마리, 호주 긴수염고래 1500마리 정도가 짝짓기를 하려고 몰려든 다고 생각해 봐.

- 어마어마한 장관이군요.

- 긴수염고래 수컷들 20마리 정도가 좋은 자리를 차지하고 암컷의 사랑을 얻으려고 치고받고 싸운다고 생각해 봐. 물어뜯고 박치기도 하고 말이야.

- 참, 고래는 어떻게 의사소통해요?

- 20Hz보다 낮은 저주파를 이용해 의사소통하는데 미세해서 우리 귀에는 들리지 않아. 긴수염고래 같은 경우, 한 번 울면 2만 킬로 미터까지 갈 수 있어 먼 곳의 고래와도 의사소통을 할 수 있대.

- 어마어마한 거리군요. 사람들이 고래를 보기 위해 오기도 하나 요?

- 그래. 범고래가 어린 코끼리물범이나 바다사자를 낚아채는 모습 은 박물관 사진을 통해서도 볼 수 있는데 얕은 바닷속을 질주해, 해변에서 수영을 배우는 어린 바다사자를 잡는 모습은 감탄할 수 밖에 없지. 참, 범고래는 집단생활을 하는데 고래 중에 가장 큰 편 이고, 등이 꺼멓고 눈과 가슴 주변이 하얗지. 얼마나 사냥 기술이 좋은지 백상아리의 간을 빼먹기도 한다는 이야기를 들었어.

- 실지로 볼 수는 없어요?

- 당연히 볼 수가 있지. 2~3월 사이에 푼타노르테 해변에 설치된

전망대를 통해 볼 수 있는데 바다에서 튀어나온 범고래가 해변의 물개를 날쌔게 잡아먹는 모습을 구경할 수 있지. 그런데 푼타 노르테 가는 길에는 야생기니피그를 만날 수도 있으니 조심해야 해.

- 으이그! 징그러워.

- 징그럽기는? 집에서 키우는 사람들도 있는데.

- 아참, 고래 이야기나 해요. 상어도 아닌 고래가 그렇게 잡다니 대단한 사냥 기술이네요. 그런데 바다코끼리, 물범, 물개는 어떻게 구분해요?

- 지느러미발을 가진(기각류) 해양포유류에 바다코끼리, 물개, 물범이 있어. 일단 바다코끼리는 일단 덩치가 크지. 피부가 거칠고 주름지고, 억센 털로 된 콧수염이 있고, 물개나 물범에게는 없는 엄니가 있어. 바다사자 같은 오타리류와 강치가 포함되는 물개는 귀에 귓바퀴가 있지만, 바다표범과인 물범은 귓바퀴가 없어. 다른 구별 방법은 다리! 물개는 앞다리로 몸을 세우는데, 물범은 앞다리가 짧아서 못 세워. 걸을 때도 달라. 앞다리와 뒷다리를 모두 사용하면 물개, 뒷지느러미 발만 이용해 기어다니거나 헤엄치면 물범.

- 그다지 어렵지는 않네요.

- 아, 우리나라 독도에도 강치가 살았던 적이 있어. 이름은 독도강치. 일제강점기 강치(바다사자) 가죽을 얻으려는 일본 어부들이 무분별하게 잡아서 지금은 멸종되었어.

- 독도에도 강치(바다사자)가 살았군요.

- 마젤란 펭귄도 여기 사는데 4만 마리 정도는 될 거야. 가슴에 굵고, 가는 띠가 두 줄 있는데 다리가 검어. 바닷가 절벽이나 모래

언덕에 살고.

- 다른 동물은요?

- 호기심이 많고 수영을 잘하는, 길들여지지 않은 야생 낙타인 '과 나코'가 무리 지어 다니는 모습도 볼 수 있어. 고온과 추위를 견디 는 것은 일반 낙타와 같은데 암벽을 잘 타는 것이 다르지. 멸종 위기에 처한 '마라'도 살고 있어. 쥐나 기니피그처럼 생겼는데 좀 크지. 45센티미터 정도 되니까.

- 새들도 많이 살지요?

- 181종이 사는데 바닷새들의 둥지를 보호하기 위해 파하로스섬에 자연보호지역을 만들었어.

- 관광객은 들어갈 수 있어요?

- 아니야. 1975년 이래 금지되었어. 섬에는 사람이 살지 않고.

- 새들의 낙원이군요.

28. 방다르갱 국립공원 (모리타니)
다양한 철새의 보금자리

- 몇 년 전에 세계자연기금(WWF) 창립멤버인 룩 호프만이라는 분이 돌아가셨어. 세계적으로 자연보존을 위해 애쓴 분인데 스페인 습지와 모리타니 방다르갱 습지재단을 만들어 활동했던 분이었어. 이분 덕에 람사르습지 협약이 만들어졌지. 사람은 생전에 무엇을 가졌던가 보다는 어떻게 살았는가로 평가받는 거지.

- 하지만 사는 동안에는 먹고사느라 그러기 어렵잖아요. 가진 것이 많아도 재미와 즐거움을 위해 탕진하기 쉽고.

- 내가 가르쳐준 것은 아닌데. 어디서 배웠을까?

- 아직 뭘 모르지만, 저도 인생을 진지하게 알아가는 중입니다.

- 좋은 현상이야. 방다르갱 국립공원은 사하라 사막과 대서양 사이 전이지대에 만들어진 공원인데 섬과 해안선으로 이루어져 있어. 다들 사하라에서 불어오는 바람에 실려와 만들어진 거지. 섬 주위에는 우리나라처럼 넓은 개펄이 있어 다양한 철새들의 보금자리가 되어주고 있어. 기후가 온화하고 방해하는 사람들도 없고, 더 이상 바랄 게 없지. 겨울이면 시베리아, 그린란드, 북유럽에서 300만 마리가 넘는 철새들이 날아와.

- 주로 어떤 새들이 와요?

- 섭금류들이 가장 많이 모여들고, 여기에 둥지를 틀고 물고기를 잡아먹으면서 사는 새들 무리가 많지. 제비갈매기, 플라밍고, 펠리컨, 넓적부리도요 등 108종이나 되는 바닷새가 모여 살지.

- 처음 듣는 말인데요, 섭금류.

- 일단 물가에서 사는 새는 수금류(水禽類 물수, 새금, 무리류)라고 해. 물에서 헤엄을 치면 유금류(游禽類 오리, 갈매기, 펭귄), 다리가 길어 몸이 안 젖는 섭금류(涉禽類 황새, 백로, 따오기) 사나운 육식성 조류는 맹금류(猛禽類. 독수리, 매), 노래를 잘하면 명금류(鳴禽類. 참새, 까마귀, 꾀꼬리), 날지 못하고 달리면 주금류(走禽類. 타조, 키위). 아무튼 섭금류 가운데 30%가 방다르갱에서 겨울을 보내. 개꿩, 도요새, 유럽노랑부리저어새, 검은배제비갈매기

등.

- 새를 보러 가까이 가보고 싶어요.

- 새를 보려면 국립공원의 허가를 받아 배를 타고 가는 방법이 있어. 가이드를 동행해야 하는데 일 년에 두 번 짝짓기 할 때는 허가를 내주지 않아. 그때는 새들에게 가까이 가면 안 되거든.

- 저도 그 정도는 알아요. 번식을 방해하면 안 되잖아요.

- 맞아. 바다는 깊이가 몇 미터 되지 않은데도 얼마나 맑고 푸른지 몰라. 새들이 둥지를 트는 모래섬도 곳곳에 떠 있고.

- 다른 동물들도 살고 있지요?

- 좋은 질문이야. 멸종우려종인 푸른바다거북이 살고 있어. 대모거북(매부리바다거북), 장수거북도 살고. 여기서 문제, 푸른바다거북은 과연 느림보가 맞을까?

- 아니겠지요. 그래도 수영선수보다는 느리겠지요.

- 꼭 그렇지는 않아. 사람은 거북이를 절대 따라잡을 수 없어. 자유형 400미터에서 금메달을 딴 박태환 선수는 시속 6.49km인데 거북이는 평균 수영 속도가 시속 20km야.

- 우와, 빠르다. 느림보가 아니었어.

- 놀랐지. 여기에는 사막여우, 검은꼬리모래여우, 자칼, 도르카스가젤, 줄무늬하이에나도 살아. 고래도 여러 종류 살고 있어. 그 유명한 긴수염고래, 범고래, 대서양혹등고래, 큰코돌고래, 쇠돌고래.

- 멸종위기종들이 많이 사는군요.

- 또 있어, 몽크바다표범도 멸종위기종이야. 모피나 고기를 탐내던 사람들, 해양오염으로 인해 누아디브 근처 블랑곶에 150마리 정도

만 남았어. 모피 빛깔로 인해 '수도사물범'이라 불리던 귀여운 몽크.

- 다른 유적지도 있다고 들었어요.

- 신석기 유적 말이구나. 알모라비데 문명 유적이 섬 곳곳에서 발견되었는데, 일곱 개 마을 주민이 500명 정도 살고 있어. 부족의 이름이 '임라구엔'인데 '생명을 모으는 사람들'이라는 뜻이래. 이곳에는 문명이 들어오지 않아 오래된 삶의 방식 그대로 살고 있어. 고기잡이도 전통적인 방식만 고수하고 있는데 야생 돌고래와 함께 숭어를 잡는 방식도 있어.

- 돌고래와 말이 통하나 봐요.

- 그것까지는 알 수 없는데 돌고래가 워낙 영리하잖아.

29. 이비사의 생물다양성과 문화 (스페인) (복합문화유산)

- 생물다양성과 문화라는 구절을 보니 어떤 생각이 드니?

- 아마도 자연유산과 문화가 함께 세계유산에 등재되지 않았을까요?

- 와, 똑똑한 아들. 먼저 스페인의 발레아레스제도 바다에 살고 있는 해초 포시도니아로부터 시작해 보자. 세계적으로 유명한 클럽의 밤 문화나 누드해변 이야기는 나중에 해도 늦지 않으니까.

- 좋아요. 저도 나이가 되면 유명한 연예인이나 축구 선수들이 간다는 클럽이나 누드 해변에 갈 기회가 있겠지요.

- 고대부터 있었던 이 연약한 해초가 어떤 능력이 있는지 안다면 그리 섭섭하지 않을 거야. '포시도니아 오세아니카'와 거머리말이 빽빽하게 자리 잡은 해초군락지의 이산화탄소 포집능력이 얼마나 큰지 기후변화 해결사로 불릴 정도야. 해저에 산소공급을 해주고, 해양 수질도 정화해 주는 거지. 어류와 갑각류들이 알을 낳고 사는 데 이보다 더 좋은 환경은 없을 거야.

- 얼마나 대단하기에 그럴까요?

- 같은 면적의 아마존 숲의 몇 배냐면, 자그마치 15배! 그런데 애석한 것은 말이야.

- 사람들과 기후변화로 인해 고사위기에 놓였다는 거지요?

- 그래. 일단 이비사에 왔으니 역사 유적들이 많이 남아 있는 '달트빌라'로 가보자. 언덕 꼭대기에 서 있는 구시가지야. 자갈길을 걷다 보면 아주 오래된 성당이나 역사 유적, 거기에 박물관도 만날 수 있지. 이비사 성당, 고고학박물관, 현대미술관도.

- 요새도 높은 곳에 있군요. 우리나라 성처럼.

- 그렇지. 그래야 전망이 좋고 방어하기도 쉽지. 6세기 르네상스 무렵 사암으로 지은 요새가 남아 있는데, 특이한 것은, 아주 오래 전 페니키아, 아랍이나 카탈루냐 시대, 르네상스 때까지 과거에 만든 것을 하나도 버리지 않고 그대로 받아들였다는 거야. 성벽과 성채를 건설할 때 과거의 것을 밀어버리고 다시 지을 수도 있지만, 이전부터 있던 시설들을 통합해 놓았어. 오스만튀르크족, 해적들을 물리치기 위해 조상들이 세운 성벽이 거리를 둘러싸고 있고, 그 안에 아름다운 건축물이나 전통적인 집들이 고스란히 보존되어 있다

고 생각해 봐.

- 존경스럽지요. 무조건 확 뜯어고치는 것만이 최선은 아닌가 봐요.

- 그렇지. 우리는 서양문명을 받아들이면서 과거에 가치 있다고 생각했던 것을 통합한 것이 아니라 거의 모든 것을 내다 버렸지. 머리부터 발끝까지 서양식으로 바꾸려고 애썼지.

- 그래도 다 사라진 것은 아니잖아요.

- 물론 말이 그렇다는 거지. 이비사섬은 기원전 7세기경에 페니키아인들이 항구를 건설했어. 고대 지중해에서 해상무역을 장악하면서 알파벳의 기원이 된 페니키아 문자를 만든 사람들이야. 이후 기원전 6세기경 이비사섬은 세계 최강의 해군력을 가지고 있던 카르타고의 식민지가 되었어. 그 당시 최고의 힘과 부를 갖춘 나라였거든. 수도와 하수시설을 갖춘 도시, 아파트 형태의 주택과 염전을 건설했어. 로마와 대적할 정도였지. 이후 카르타고의 유명한 장군 한니발과 로마의 전투가 벌어지지.

- 벌거벗은 세계사 시간 같아요.

- 페니키아와 카르타고의 유적인 에비소스, 사 칼레타에 대해 말하려다 보니 그렇게 되었구나. 카르타고인이 건설한 에비소스와 항구는 2000년 동안 지중해 항해 중심지였어. 경제적 기반은 무화과 열매나 모직물 등이었지만 무엇보다도 염전의 소금이었지.:이후 아랍의 지배를 받게 되었어. 사 칼레타는 염전 부근으로 페니키아인들이 최초로 살던 곳인데, 바닷물에 침식되었다가 오랜 시간이 흐른 후 도시의 원형이 그대로 발굴된 거야. 도시에는 800명 정도의

사람이 살았는데 평등한 사회구조를 가지고 있었어. 소금 채취나 어업, 야금업을 했고. 성벽이 있었어. 정사각형의 건물들이 도로를 통해 광장과 연결되어 있었고.

- 과거 시대라고 해서 도시가 발전하지 않았다고 생각하면 안 되겠어요.

- 어퍼 타운의 남서쪽에 있는 공동묘지도 페니키아와 카르타고 전성기의 모습을 잘 보여주고 있어. 이름은 '피그 데스 몰린스' 시신을 화장해서 뼛가루로 동굴에 두었다가 가족묘 지하무덤으로 발전해 갔는데 로마제국 말까지 사용했다고 해. 고대 페니키아인들의 무덤도 수천 개 있어. 다양한 묘실에서 발굴한 조각상, 제의도구, 주화, 장신구, 무기도 볼 수 있고.

- 경주 천마총에 갔던 장면이 생각나요. 천마총도 무덤이잖아요.

- 그래. 맞아. 바다요정, 남서쪽 해안에 툭 튀어 오른 '에스 베드라'라는 바위도 있어. 자기력이 강해 여신이나 바다 요정이 사는 곳이 아닐까, 생각되는 곳이지. 선명한 에메랄드빛 지하호수도 볼 만하고. 이비사 최대의 동굴인 '코바 데 칸 마르카'라는 곳이야. 독창적인 관개시설도 볼 수 있는데 '세스 페익세스'라는 곳이지. 직사각형 모양으로 밭을 분할하는 수로들을 보면 과연 놀랍다는 생각이 들지. 첨단정보화 시대의 인류지만 과연 조상들의 지혜를 따를 수 있을까 싶기도 하고.

- 어디쯤 있어요?

- 어퍼 타운 맞은편이야. 항구 반대쪽 해안을 따라가면 나와. 마지막으로 섬 남쪽 끝에 소금 채취에 중요한 구실을 했던 '가스 살리

나스'가 있어. 생물다양성을 보여주는 특별한 동식물이 있는 곳이지. 점심때는 타파스를 먹었으니 저녁에는 휜섬, 산 안토니오로 가서 해지는 것을 보며 플라오를 먹자.

-이러다 세계적인 미식가가 되는 것은 아닐까요?

30. 포르토만: 피아나의 칼랑슈, 지롤라타만, 스캉돌라 자연 보호 지역(프랑스) 바람이 불면 다가오는 꽃향기

- 일단 이름도 긴 포르토만으로 가려면 아름다운 섬, 코르시카로 가야 해. 제주도의 4배 정도 크기야. 높은 산, 가파른 절벽, 구석구석 숨은 폭포, 수없이 많은 백사장이 줄지어 있고. 지금은 프랑스 소유로 되어 있지만 1768년 이전에는 제노바 공국의 영토였어. 또 그 이전에는 로마제국, 이슬람제국, 롬바르드의 침입으로 지배를 받았고.

- 어쩜 우리나라와 역사와 비슷할까요? 끊임없는 외세의 침입이 있었군요.

- 그것이 사람들의 정신력을 더 굳세고 끈기 있게 만들까. 우리가 일제강점기 독립운동을 했던 것처럼 코르시카 사람들도 파스콸레 파올리와 함께 목숨을 걸고 독립운동을 했어.

- 그래서 어떻게 됐나요? 독립을 했나요?

- 코르시카 공화국을 세웠지만 제노바 공국 대신 프랑스에 점령당하고 말았어. 아놀드 토인비가, 문명은 도전과 응전의 역사라더니.

더 나은 방향으로만 진보하는 것 같지는 않아. 앞으로 갔다가 뒤로 갔다가, 태어났다가 강성해졌다가 하는 것 같아. 각설하고, 코르시카는 프랑스 황제였던 나폴레옹 보나파르트 고향으로 더 유명해. 한때 프랑스 황제 나폴레옹은 말을 타고 알프스를 넘는 그림으로 우리나라 청년들에게 야망을 심어주었던 인물이었어. 청년이여, 야망을 가져라! 보이스 비 앰비셔스!(Boys, be Ambitious!)

- 소년들이여, 엠비시를 봐라는 뜻 아닌가요?

- 그건 유머지. 일본 삿포로 농학교 교장으로 있었던 클라크가 한 말이야. 그런데 클라크가 말한 야망은 돈을 벌거나 명성을 얻거나 출세하라는 말이 아니었어. 인간이 갖출 것을 추구하라는 말이었어.

- 그렇게 깊은 뜻이 있었군요.

- 세계유산으로 등재된 곳은 지롤라타만, 포르토만, 스캉돌라반도와 엘파 네라야. 제노아인들이 세운 포르투 지롤라타 요새는 바위로 된 곳 위에 세워져 접근하기 힘들어. 배를 타고 고립된 어촌으로 접근하거나 노새나 다닐 좁고 가파른 바윗덩어리 구불구불한 지중해 관목숲 길을 통해 갈 수 있어.

- 역시 사람 손이 닿기 어려워야 자연유산이 되는군요.

- 그렇기는 해. 여기서는 쓰레기는 당연히 버리면 안 되고, 낚시, 수중생물채집, 스쿠버다이빙도 안 돼. 절대로. 허가 없이는 공사도 할 수 없어. 사유지라도 안 돼.

- 당연하지요. 그런데 사유지도 있나요.

- 대부분이 공유지인데 일부가 사유지야. 아, 바람이 부는 것 같다.

- 더운데 좀 건조하지요?

- 지중해성 기후라서 그래. 대신 겨울에는 온난하고 습한 기후가 이어져. 여름이 우기인 우리나라와는 다르지. 스캉돌라 자연보호지역은 스캉돌라 반도와 엘파 네라 섬으로 이루어져 있는데, 뾰족한 봉우리들이 얼마나 우아하게 솟아 있는지 황홀하다고 할 정도야. 해안에는 화산활동으로 인해 솟아오른 유문암과 현무암의 붉은 절벽이 해수와 바람으로 깎여 들쭉날쭉 날카롭게 솟아 있는데 높이가 900미터나 돼. 이 절벽에는 또 자연적인 동굴들이 있고. 이곳에는 사람이 접근하기도 힘든 이런 작은 섬이 수없이 많아. 암석 사이에는 유향수, 헤더, 도금양, 딸기나무, 너도밤나무가 자라고. 지중해에서 이만한 경치는 없을 거야.

- 정말요? 지중해성 기후라 숲도 좀 다르겠지요?

- 이 기후에서 농부들은 오렌지나 레몬, 포도, 무화과를 재배해. 서식하는 동물도 그 기후에 적응한 여우나 토끼, 도마뱀이고. 숲도 마찬가지야. 대충 200미터 고도 아래서는 지중해성 관목지대, 이른바 덤불지대가 모습을 드러내는데 건조한 기후에 강한 식물이 살아. 이 고도를 넘어서면 나뭇가지 모양이나 오크나무가 모습을 드러내고. 그런데 이 지역에서는 몇 년 몇십 년을 주기로 자연적인 산불이 일어나. 늦은 여름이나 가을에 주로 일어나는데 화재 난 후 빠르게 복원되는 특성이 있어.

- 아, 산불이 나는 것을 TV로 몇 번이나 봤는데, 집을 잃고 컨테이너에 사는 이재민들이 너무 힘들어 보였어요.

- 코르시카섬도 마찬가지야. 해수면 상승으로 인해 집 앞까지 파도

가 치는 바람에 이주하는 사람도 있으니까.

- 전혀 몰랐던 사실이에요.

- 아마 다음 이야기도 그럴걸. 다른 지역에서 사라져 가는 '마키'라는 관목 식생이 있는데 바람이 불면 다가오는 꽃향기가 그렇게 그윽할 수가 없다는 거야. 그 때문에 코르시카섬은 향기의 섬이 되었다는 거고.

- 매화나 난초 향기보다 더 그윽한가요?

- 허브식물인 캐롭, 머틀, 로즈마리, 꿀풀과의 민트향이나 월계수, 올리브, 무화과 등 여러 향기가 섞였지.

- 저는 로즈마리가 좋은데.

- 꽃도 아닌 것이 바늘 같은 잎에서 어쩌면 그런 향기가 날까? 나도 그런 생각이 들어.

- 그럼, 바다에는 무엇이 사나요?

- 바닷물이 맑고 깨끗해서 해안 가까운 곳에 조류들이 많이 분포하는데 46미터 바닷속에는 '포시도니아'라는 해초가 뒤덮고 있어. 연안의 바위에는 다른 곳에서 볼 수 없는 홍조류도 자라고 있어. 혹 모양으로 가지를 치는 석회질 덩어리인 혹돌잎도 바위를 따라 덮개를 만들고 있고.

- 홍조류가 뭐예요?

- 일단 조류(藻類)는 식물도 아니고 동물도 아니고, 버섯이나 곰팡이 같은 진균류도 아니야. 예를 들면 쉬울 거야. 조류인데 붉은색이면 홍조류. 김이나 우뭇가사리가 거기 들어가지. 녹색이면 녹조류. 파래나 매생이가 있고. 갈색이면 갈조류. 다시마와 미역이 있

114

고.

- 우리가 먹는 음식 재료네요. 또 바다에 무엇이 사나요?

- 바닷가재, 왕새우, 게, 굴, 물고기 여러 종류의 동물들이 살고 있어. 한때 몽크바다표범이 살기도 했는데 지금은 사라졌고, 멸종위기종인 유럽 야생양 '무플론'이 살고 있어. 새들도 많이 사는데 다양한 철새와 텃새들이 살아. 참, 물수리라고 들어봤지? 한국에서도 보기 드문 겨울새이자, 나그네새지. 벌을 잡아먹기 전에 벌을 문지른다는 '벌잡이새'는 앵무새처럼 깃털이 화려하고 사랑스러워. 길이가 30센티미터밖에 안 되지만. 그 밖에 갈매기, 바다 독수리, 가마우지, 매, 코리슴새 등이 살고 있어.

- 무플론이라고요? 처음 들어봐요.

- 무플론 양이라고도 하는데 야생 양 중에서는 가장 작아. 뿔은 소용돌이 모양으로 자라고, 털은 짙은 갈색인데 안장 모양의 반점이 있어. 섬에 500마리 정도가 살고.

31. 바덴해 (덴마크, 독일, 네덜란드) 갯벌이 아름다운 곳

- 인환아, 내가 말이야. 인천 영종도에 공항 짓는다고 했을 때 말이야. 외국 환경단체 사람들이 와서 갯벌이 사라지는 것을 매우 안타까워했을 때, 나이가 어렸던 탓도 있지만 저분들, 왜 저럴까 생각했어.

- 진짜 그랬어요?

- 퇴적물이 쌓여 갯벌이 되는데 1만 년이 걸린다는 사실은 둘째 치고, 부리가 노처럼 생긴 저어새, 알락꼬리마도요 같은 멸종위기종 철새들이 중간에 쉬었다 가는 것도 몰랐던 때야. 그래서 아무 쓸모 없는 짓을 '뻘짓', 쓸모없이 하는 말을 '뻘소리'라고 했을 거야. 서해안 간척지가 생겨서 국토가 넓어지고 농사지을 땅이 생긴다는 것만 좋은 일이라고만 생각했고.

- 우리나라 갯벌이 람사르습지나 세계유산으로 지정되기 전이라 그랬겠지요. 지금도 환경에 관심이 없는 분들이 많아요.

- 갯벌이 얼마나 아름다운 곳인지 사람들이 알아야 하는데. 갯벌은 그냥 바다와 육지가 만나는 곳이 아니야. 하루에도 몇십 번 갯벌의 품 안에서 수많은 생명이 꿈틀꿈틀 움직이는 곳이지.

- 갯벌이 펼쳐진 서해안의 아름다운 일몰이 생각나요.

- 그래. 문제는 갯벌을 개발해서 공항을 만들고, 신도시를 건설하는 것은 좋지만, 다시는 되돌리기 어렵다는 게 문제지. 이 지구가 어디 인간만의 것이냐고.

- 맞아요. 지나치게 개발한 결과 사람도 살 수 없는 환경이 만들어졌어요.

- 지구를 생각한다고 말할 것도 없어. 우리를 위해서 그러는 거지.

- 오늘 아빠답지 않게 너무 흥분하셨어요.

- 그래. 이번에 다룰 것이 네덜란드, 덴마크, 독일 3개국에 걸쳐 있는 바덴해, 바로 갯벌이기 때문이야. 밀물과 썰물의 간만 차가 무려 3미터, 갯벌 길이만 해도 1만 킬로미터가 넘어.

- 와, 그 정도라면 세계 최대규모인데요.

- 응. 덴마크 서해안에 있는, 호(Ho)만에서부터 독일을 지나 네덜란드 텍셀섬까지니까 갯벌도 보통 넓은 갯벌이 아니지. 지구상에 남은 자연적인 조간대로도 대단한 규모라고 하네. 여기에 무엇이 살까? 수많은 동물, 식물, 조류가 살아. 아주 오래전부터 지형변화나 생물학적인 진화가 진행되는 중이야. 사실 유럽에서는 이보다 더 완벽하게 보존된 해안 습지가 없어. 우리나라는 서해안만 가도 갯벌이 눈에 들어오니 귀한 줄 모르지만.

- 참, 조간대는 뭔가요?

- 처음 들어보지? 만조 때와 간조 때 해안선 사이를 말하는데 육지와 바다로 치면 피부라고 할 만해. 고둥류, 해조류, 조개류 등 여러 생물이 사는데 사람들이 간척하거나 파괴하면 조간대의 생태계에 문제가 생기지.

- 만조와 간조는 또 무얼 말하는가요?

- 만조는 썰물이 들어와 해수면이 가장 높은 상태, 간조는 밀물로 인해 해수면이 가장 낮아진 상태야. 조간대에 사는 생물은 사실 살기 어려운 환경에 놓여 있어. 만조 때는 바닷물에 잠기고 간조 때가 되면 햇빛 아래 드러나게 되거든.

- 동물들도 많이 살지요?

- 무척추동물, 양서류, 파충류, 어류 등이 살고 있어. 해양포유류 중에 회색바다표범, 참깨점박이바다표범, 쥐돌고래가 살고 있고. 바덴해에 살고 있는 바다표범은 19,000마리 정도야. 돌고래도 갯벌 연안에 있는 섬 주변에 알을 낳고 살고. 가오리, 대서양 연어, 갈색 송어를 포함한 더 큰 물고기들은

- 새들도 많이 살고 있다고 들었어요.

- 여기는 새들의 낙원이라고 할 수 있어. 우리나라 갯벌도 마찬가지지만. 왜가리, 갈매기, 흰꼬리독수리, 제비갈매기, 저어새 등이 서식하고 있어. 1년에 대략 1200만 마리 정도의 새들이 여기를 찾아와 번식을 하고 겨울을 나. 목적지를 향해 날아가는 중간에 잠시 쉬어가기 위해 여기 들르는 새들도 많고.

다른 데에서 볼 수 없는 장관이 있는데-.

- 뭔데요? 궁금해지네요.

-매년 7월에서 9월 사이 혹부리오리가 트리센섬에서 털갈이하는데 한두 마리도 아니고 세상에 20만 마리가 그런다는 거야.

- 혹부리오리요?

- 전래동화에 나오는 혹부리영감처럼 수컷이 번식기가 되면 부리 윗부분에 붉은 혹이 생겨서 붙은 이름이야. 부리는 붉은색이고 다리는 분홍색이야. 우리나라 낙동강 하류 철새도래지에서도 겨울을 나지.

- 보존하기 위해 어떤 대책들을 세웠나요?

- 좋은 질문이야. 1977년부터 보전을 위해 협력을 시작했는데 비용도 삼등분해서 똑같이 내고 있어. 특이한 것은 갯벌을 보전하기 위해 다른 자연유산처럼 무조건 접근을 막지 않는다는 거야. '안정되고 지속 가능하며 오염 없는 바덴해'라는 목표를 정하고, 갯벌에 친근감을 갖도록 하고 자발적으로 보호하고 싶은 마음이 들게 하고 있어.

- 어떻게 하는데요?

- 썰물 때 직접 갯벌을 걷는 기회를 줘. 직접 갯벌을 걸으면서 느낄 수 있도록 하는 거지. 갯벌 산책이라고 하면 이해가 쉽겠구나. 지역 주민으로 구성된 안내인들이 갯벌에 관해 설명을 해주는 거야. 언제 물이 들어오고 나가는지, 갯벌에 무엇이 사는지도. 우리나라 충남 보령 머드축제 정도는 아니지만, 배를 타고 갯벌 부근을 따라가면서 돌고래나 새, 바다표범을 눈앞에서 생생하게 보게도 하는 거지.

- 자전거를 탈 수는 없어요?

- 당연히 있지. 제방길을 따라 자전거를 타고 달리면서 갯벌을 볼 기회를 제공하지. 바닷바람에 머리카락을 날리며.

- 사람들이 많이 찾을 것 같아요.

- 맞아. 독일 슐레스비히홀스타인 국립공원 같은 경우는 매년 200만 명이 넘는 관광객이 하룻밤을 묵고 가. 하루 일정으로 그냥 둘러보고 가는 관광객은 1,100만 명이나 되고.

32. 세인트 킬다 군도 (영국) 복합문화유산 : 영국 끝에 있는 지상낙원

- 이제 영국에서 가장 먼 곳에 있는 섬, 스코틀랜드의 아우터 헤브리디스제도 연안에 있는 세인트 킬다 군도. 고리처럼 생겨서 환상화산인데 히르타섬, 덤섬, 소이섬, 보어레이섬으로 이루어져 있어. 유럽에서 가장 높은 절벽이 보어레이섬 근처에 있는데 빙하와 풍화작용으로 빚어진 가파른 절벽이 멋지게 서 있어. 여기에 퍼핀,

개니트, 부비새들이 무리를 지어 살고 있어. 여기서 문제 세인트 킬다 군도에는 사람이 살까요, 살지 않을까요?

- 본토에서 멀리 떨어지고, 가파른 절벽이 있고, 자연유산 아니 복합유산이 되었으니 사람이 살지 않을 것 같아요. 사람이 살고 있으면 제대로 보존이 되었을 리 없어요.

- 맞아. 하지만 반은 맞고 반은 틀려. 이 군도에는 2000년 전부터 사람이 살아왔는데, 1724년 무렵 천연두로 많은 사람이 죽은 후로는 인구가 110명을 넘은 적이 없어. 그러다가 1936년 여러 곡절로 힐타 섬에 남아 있던 주민 37명이 본토로 이주했어. 지금은 섬을 방위하는 사람들만 있을 뿐이야.

- 육지에서 멀리 떨어진 외딴섬에서 어찌 살았을까요? 제주도처럼 바람도 심했을 것 같은데.

- 그간 사람들이 살았던 정착지들이 여러 군데 있는데 보호를 받고 있어. 빌리지 베이와 히르타호를 내려다보는 마을을 비롯해 글린 모어 취락지, 지오크루바이드 취락지, 클레이진 언 타이 페어 등. **이게타 게이코**가 쓴 '세인트 킬다 이야기'를 보면, 인환이 말대로 거센 바람이 가장 견디기 힘들었나 봐. 그래서 사람들은 두께가 2미터가 넘는 돌집을 짓고 살았어. 한쪽에는 가축들을 살게 해서, 겨울에도 체온을 유지할 수 있었어. 농사를 지을 수 있는 땅에는 모조리 돌담을 둘렀고.

- 무엇을 해서 먹고 살았어요?

- 외부에서 들여올 물건이 없으니 당연히 자급자족해서 살아갈 수밖에 없었지. 바위나 가파른 절벽을 기어오르거나 절벽 꼭대기에서

내려와, 풀마나 갈매기 둥지를 뒤져 새를 잡고 알도 얻었어. 물론 양을 키우거나 농사를 짓기도 했어. 그런데 그렇게 열악한 환경에서도 사람들은 소박하지만 환하게 웃으며 살았어. 문명의 때가 묻지 않은 사람들이었지. 서로 돕지 않으면 살 수 없으니, 이웃과 유대감도 굳건했고.

- 맛있는 것을 배불리 먹으며 좋은 집에 살고 싶다는 생각을 안 했을까요?

- 치킨이나 피자도 먹고, 하하! 아마도 그렇지 않은 것 같아. 폭풍우와 질병에 시달리면서도 즐겁게 살았다는 거지. 이 때문에 당시 세계를 제패하던 강국, 영국에서 화제가 되어 많은 관광객이 '영국 끝에 있는 지상낙원'을 보기 위해 트럼펫과 드럼을 연주하며 몰려들었어. 문명에 때 묻지 않은 주민들은 어땠을까? 처음에는 관광객이 무서워 가축을 데리고 숨기까지 했어. 그러다가 우호적인 분위기가 조성되고 주민들은 물질문명에 적응해 갔어. 더 이상 절벽을 기어올라 스스로 먹을 것을 구하는 대신 관광객들에게 특산물을 팔거나 사진을 찍게 해주고, 팁을 받는 것으로 살게끔 되었어.

- 섬 주민들은 어떻게 살게 될지 걱정돼요.

- 검소하게 살던 습관뿐 아니라 이웃 간에 유대감은 사라지고 싸움을 일삼았는데, 설상가상으로 영국에서 관광객이 더 이상 오지 않게 되었어. 때 묻지 않은 주민에 대한 환상은 사라지고 탐욕스러운 모습에 혀를 내두르게 되었거든.

- 최악의 상황이 왔군요. 마음이 아프니 조금 있다 해주세요. 다른 이야기 먼저 하구요.

- 그래. 사람들은 돌을 쌓아서 만든 건물, 클레이트에 살았어. 벽을 돌로 쌓고, 흙과 풀로 덮은 석판을 지붕에 올리고. 돌로 쌓은 작은 건물들이 많이 남아 있어. 히르타섬에 1,260개, 스택 및 외딴섬에 170개 이상. 창고 형태로 만들어진 집도 발견되었어. 아, 그것을 말하지 않았구나. 19세기에 초기 구조물이나 주거용 건물 대부분이 교체되었지만 청동기 시대 사람들 흔적이나 바이킹이 머문 고고학적 증거가 남아 있어.

- 섬 고유식물은 없나요?

- 약 130종의 고유식물이 곳곳에 살고 있어. 야생 면양도 1,400마리나 살고.

- 새들은요?

- 약100만 마리 정도가 사는데, 리치바다제비는 이 군도에서만 살아. 회색기러기, 큰도적갈매기, 검은다리세가락갈매기는 히타르섬에 살고 있고. 보어레이섬에 몸집이 큰 얼가니새 최대 서식지가 있고.

- 새 이름이 '얼가니'예요?

- 응. 날개 끝이 검고 몸집이 크지. '부비새'라고도 하는데 스페인어인 보보(bobo)가 부비(booby)가 된 거야. '보보'는 스페인어로 바보거든. 이 새가 아주 맹해. 날아가다가 배에 앉아 쉬곤 했는데 선원들이 잡으려고 해도 도망을 안 가고, 멍때리다 잡혔거든.

- 기억해 두었다가 써먹어야겠어요.

- 이런, 내가 좋지 않은 것을 가르쳤구나.

- 그냥 해 본 말이에요. 결국 섬 주민들은 어떻게 되었나요?

- 다른 일들도 그렇지만 자급자족적 공동체가 해체되는 것에는 오

랜 시간이 걸리지 않았어. 1822년에 청교도 기반을 만들기 위해 전도 목사인 존 맥도널드가 섬을 찾은 게 시작이었어. 이후 닐 매켄지 목사는 청교도 체제를 확립했는데 경작 방식을 바꾸고 옛 돌집을 검은 돌집으로 바꾸었어. 1865년 무렵의 존 매케이 목사는 더 심했지.

- 어떻게 했는데요?

- 그가 엄격한 신앙규칙을 강제하면서 주민들은 전통 음악과 시를 잃어버렸어. 이후에는 사정이 더 안 좋아졌어. 관광객을 통해 따라 들어온 병균으로 인해 많은 주민이 사망하고 얼마 남지 않았어. 그런데 1차 세계대전 때는 섬에 영국 해군기지까지 들어와서 공동체 해체를 부채질했지. 제주의 소리에 <제주를 닮은 섬 세인트킬다, 공동체의 슬픈 종말>을 쓴 장태욱 씨 말처럼 어쩌면 제주도와 닮은꼴인지 모르겠어.

- 돌, 바람, 관광, 해군기지, 거기까지는 닮았어요.

- 아무튼 식량 위기에 몰린 섬 주민 37명은 이주를 청원했고, 승인이 떨어진 1930년 8월 29일 영원히 힐타섬을 떠났어. 이후 섬을 본 사람들은 어떻게 그런 열악한 자연환경 속에서 인간이 2000년을 살아냈는지 이해할 수 없다는 표정을 지었지.

33. 하이 코스트/크바르켄 군도 (핀란드, 스웨덴) 매년 솟아오르는 땅

- 혹시 매년 8밀리미터씩 솟아오르는 땅에 대해 들어봤니?

- 남태평양의 섬나라 투발루가 물에 잠기고 있다는 소식은 들었지만.

- 투발루는 제일 높은 곳이 해발 4.5미터이고 평균적으로 해발 2미터 정도 될 거야. 해수면보다 고작 1미터가 높은 땅에서 사람들이 사는 셈인데 매년 0.5센티미터씩 잠기고 있어.

- 그러면 사람들은 어떻게 살아요?

- 지금 9개의 섬 중에 2개가 물에 잠겼어. 사람들은 깡통에 흙을 담아 나무에 매달아 농사를 짓고 있고.

- 세상은 참 불공평해요. 어느 나라는 물에 잠길까 걱정인데 어느 나라는 땅이 솟아오르고 있으니.

- 그래서 기후협약을 맺고 화석연료 비확산 조약을 맺고 하는 게 아니겠니? 발트해 북쪽에 보트니아만이라고 있어. 막대풍선을 오므렸을 때 안쪽, 폭이 좁은 곳이라고 생각하면 쉬워. 스웨덴 쪽이 하이코스트, 핀란드 쪽이 크바르켄군도.

- 땅이 솟아오르다니 이해하기 힘들어요.

- 옛날에 하이코스트 지역은 3킬로미터 정도, 어마어마한 두께의 얼음이 뒤덮고 있었어. 그러면 땅이 어떻게 되었을까. 1킬로미터 정도가 밑에 쑥 가라앉아 있었겠지. 그러다가 약 2만 년 전부터 얼음이 녹기 시작하면서 눌려있던 땅이 꿈틀대며 기지개를 켜기 시작했어.

- 얼마나 높이 올라왔어요?

- 얼음이 녹고 해안선이 만들어진 후, 지각이 해수면 위로 약 286미터 솟아올랐다고 해. 하이코스트에 스쿨레스코겐 국립공원도 있

고 스쿨레산도 있거든.

- 앞으로 얼마나 더 올라온대요?

- 100미터 정도가 더 융기한다고 해.

- 크바르켄 군도도 하이코스트와 다를 바 없지요?

- 그렇지. 세계에서 가장 빠른 속도로 바다에서 솟아오르고 있지. 빙하에 억눌려 있던 지각이 꿈틀대며 새싹처럼 일어서고 있지. 그래서 없던 섬이 생기기도 하고, 서로 합치기도 하고 땅이 늘어나는 거지. 호수가 생기기도 하는데 수심은 25미터 정도. 이탄 늪지대나 습지가 되는 곳도 있어.

- 1년에 얼마나 솟아올라요? 크바르켄은 땅이 평평한 모양이라 매년 1센티미터씩 솟아올라. 대략 축구장 150개 정도의 땅이 증가하지.

- 땅이 생기니 좋겠어요. 혹시 땅 투기하는 사람은 없나요?

- 흐흐. 그것까지는 모르겠구나. 크바르켄 군도는 5,600개 정도의 섬으로 이루어져 있는데 특이하게 빙퇴석이 굴곡진 빨래판처럼 생겼어.

- 빙퇴석이요?

- '드 기어 빙퇴석'이라고 부르는데, 아주 오래전, 1만 년~2만 4천 년 전, 빙하가 녹으면서 만들어졌어. 자, 들어 봐! 얼음이 굴러간다. 얼음이 구르면서 옆이나 바닥의 땅을 깎는다. 그 안에 흙이나 자갈이 섞여 같이 구른다. 어느 곳에서 정지하고 마침내 얼음이 녹는다. 돌이나 흙은 한 곳에 쌓인다. 퇴적층이 만들어진다. 그래서 빙퇴석이 되는 거지.

- 크바르켄 군도는 폭이 가장 좁은 곳이지요?

- 응. 핀란드의 바사와 스웨덴의 우메오 사이에 있는데, 핀란드에서는 가장 큰 섬에 들어가는 레플로트와 뵈르케 섬, 그 밖에 많은 섬이 거기 포함되어 있어.

- 에펠탑을 만드는 데 참여한 분이 만든 등대도 있다고 들었어요.

- 파리 에펠탑을 만든 구스타브 에펠의 스텝이었던 헨리 르포트가 설계한 등대로, 크바르켄 발라사레트 섬에 있어. 에펠탑이 지어지기 4년 전에 만들어졌으니, 원조에 가까울지 모르지. 구조적으로 아주 비슷해. 빨간 철탑이 등불을 머리에 이고 있는 모양새야.

- 동물이나 식물이 사는 모습은 어떤가요?

- 냉대기후, 넓은 침엽수림이 펼쳐진 타이가 지대이지만 고산식물, 북부 수림대, 습지식물이 희귀하게 혼합되어 있어. 해안의 섬 곳곳에 작은 바닷새가 살고 있고, 곤충도 다른 곳보다 많아. 계절에 따라 얼음이 덮이면 얕고 깊은 만이 생기는데, 얼음이 없는 곳에 해양생물, 염수어종, 담수어종이 서로 섞이고.

- 추운 지역인데 어떤 동물이 살아요?

- 하이 코스트에는 몸집이 큰 포유동물 말코손바닥사슴, 스칸디나비아반도에 많이 사는 곰, 스라소니가 살아.

- 참, 여기는 사람의 접근이 어려운 곳이 아닌데 무엇을 하며 살아요?

- 농사를 짓거나, 어업, 관광업으로 살아가는데, 옛날에는 바닷가에 살며 낚시하거나 바다표범을 잡으며 살았을 거야. 지난 7000년 동안 농사를 짓거나 해안에 살았던 정착지가 남아 있어. 좁고 긴 해

안가 주변의 가파른 곳에는 육지가 솟아오름에 따라 이동한 삶의 흔적이 남겨져 있고. 해발높이에 따라 시대가 달라졌거든.

- 해발 높이가 역사 연대군요.

- 그렇지. 해발 150미터 지점에는 기원전 5000년 무렵 석기시대 유적이, 30미터와 15미터 지점에서는 청동기와 철기시대 유적이 남아 있어. 거기에는 달라진 환경조건에 적응하며 살아낸 조상들의 삶의 흔적, 문화가 새겨져 있고.

34. 노르웨이 서부 피오르-에이랑에르피오르와 네뢰위피오르 (노르웨이)
세계에서 가장 깊고 아름다운 피오르

- 자, 이번에는 빙하 타러 노르웨이 피오르로 가보자.

- 빙하 타려면 아기 공룡 둘리가 있는 곳으로 가야 되잖아요?

- 아니 도봉구 쌍문동 고길동 집 말고.

- 진짜 빙하를 타요?

- 그래. 빙하를 타는 게 그리 어려운 건 아니야. 만년설이 덮인 산에 앉아있으면 돼. 시간이 아주 많이 흘러야 하겠지만. 그러면 제 무게를 이기지 못하는 빙하가 중력 때문에 골짜기를 타고 내려가게 되거든. 금방 스키처럼 내려가지는 않아. 어마어마하게 크고 무거운 빙하는 아주 천천히, 에너지 손실을 줄이며 골짜기의 바닥이나 옆을 깎아 U자형 골짜기를 만들고.

- 빙하를 타고 어디로 가요?

- 어디긴? 바다로 가야지. 바다로 간 빙하는 녹고 바닷물이 U자형으로 파인 골짜기를 채우면 피오르가 되는 거야. 피오르는 노르웨이어로 '내륙으로 깊게 뻗은 만'이라는 뜻이야.

- 이상하지만, 피오르는 꽃이 피어오른다는 말로 들려요. 피어오르다, 피어오르다. 피어오르, 피오르.

- 언어유희 하지 말고. 세계의 다른 곳에서 볼 수 없는 놀라운 장관은 우리가 빙하 타고 내려온 길에 있어. 침엽수림이나 낙엽활엽수림을 지나면 빙하 호수가 나타나고, 거대한 산들 사이로 강물이 급하게 흐르는 것이 보이지. 눈을 들어 옆에도 한번 봐. 좁고 가파르지만 자그마치 해발 1,400미터나 되는 유리 같은 바위벽 말이야. 한참을 올려다봐야 하지? 아래도 어마어마해. 수면 아래도 500미터 깊이에 이르거든. 저기 저, 절벽에 폭포가 쏟아지는 것도 보이지. 노르웨이가 수력으로 대부분의 전기를 생산하는 이유는 바로 폭포와 급류 때문이야.

- 세상에, 이런 곳이 있는 줄 꿈에도 몰랐어요.

- 지금 인환이는 지구에서 가장 길고 가장 깊으며 가장 아름다운 피오르를 감상하고 계십니다. 흐흐흐. 스타방에르에서 온달스네스까지. 노르웨이 서부 피오르-에이랑에르 피오르와 네뢰위피오르는, 남쪽에서 북동쪽으로 500킬로미터에 걸쳐 펼쳐지는 말 그대로 피오르 장관.

- 우와, 길기도 길어요. 다른 피오르는 없어요?

- 노르웨이 4대 피오르에는 송네 피오르, 하르당에르 피오르, 예이랑에르 피오르, 뤼세 피오르가 있어. 그것 말고 가까운 곳에 규모

는 작아도 인기가 많은 프레케스톨렌, 셰라그볼텐 피오르가 있고.

- 저는 왜 지금껏 이런 U자곡을 한 번도 본 적이 없을까요?

- 우리가 잘 아는, 물이 흐르는 하천은 대개 V자형 골짜기를 만들지 U자형을 만들지는 않아.

- 예이랑에르 피오르를 다녀온 사람들은 트롤스티겐까지 이어진 도로를 달려보는 것도 좋다고 하네. 길은 꾸불꾸불하고 경사도 험준해서 피오르와 산악지형을 느끼기에 그만이라고 말이지. 진짜 꾸불꾸불해. '도깨비길'이라고도 불리는데 노르웨이에서 가장 아름다운 길이라고 해. 해발 50미터에서 시작해서 850미터에 이르는 구불구불한 길이 18킬로미터 구간인데 꼭 한계령 같아. 깨끗하고 맑은 물, 거대한 산 사이로 흐르는 리본 같은 폭포, 푸른 숲, 안개.

- 동물들도 살기 어렵겠어요.

- 겨울잠을 자지 않는 1미터 정도 되는 '울버린'이라는 멸종위기 종이 있어. 차가운 물 속에 살면서 코나 귀를 막고 수염으로 먹이를 찾는 유라시아 수달도 있고.

- 지금도 빙하가 활동하고 있어요?

- 표고나 다른 차이로 기후도 좀 다른데 내륙 저지에는 낙엽수림, 고지에는 침엽수림이 있어. 표고 900~1,400미터를 넘어가면 고산식물이 살고. 결정적으로 표고 1,700미터 이상에서는 여전히 빙하가 활동하고 있어. 급경사면에서 눈이나 흙이 한꺼번에 떨어져 사태가 일어나 쓰나미를 만들기도 하고.

- 노르웨이 사람은 바이킹 후손 아닌가요?

- 맞아. 그전에 바이킹은 약탈이나 침략을 일삼는 해적이라는 이미

지가 강했지만, 지금은 항로를 개척하고 새로운 시장을 찾아 나선 탐험자나 개척자 이미지가 더 강력해졌어. 사실 바이킹, 다른 말로 노르만족이 용감한 탐험가가 될 수밖에 없는 사정이 있었어. 살고 있는 땅, 스칸디나비아반도는 춥기도 하고 농사지을 땅이 없어. 그런데 인구나 늘어나고 식량이 부족해진다고 생각해 봐. 그래서 노르만족은 800년경부터 죽을 각오로 새로운 땅을 찾아 나섰던 거지. 노르웨이에서는 이런 선조들의 용맹함, 개척정신을 기리는 바이킹 축제를 매년 개최하고 있어. 유럽 여러 나라에도 도움을 준 자랑스러운 선조들이니까.

– 여기는 참 좋아 보여요. 깨끗하고 맑은 물과 공기, 피오르 해안, 땅에 비해 인구는 적고, 제조 공장도 없고.

– 세계지도에서 보면 가장 북쪽에 있는 노르웨이. 만화영화 '겨울왕국'의 무대가 된 곳이기도 하고.

– 끝도 없이 이어지는 눈의 나라, 차가운 여왕. 이 동화를 읽을 때 몹시 마음 아팠던 기억이 나요.

– 트롬쇠 같은 도시에 가면 피오르도 보고 밤에는 오로라도 볼 수 있어. 그런데 겨울철에 이 지역은 여행할 수 없어.

– 무슨 일인데요? 위험한가요?

– 태양이 뜨지 않아. 백야가 아니고 극야지. 11월 25일에 지면 다음 해 1월27일까지 태양이 뜨지 않아. 두 달 동안.

35. 쉬르트세이섬 (아이슬란드) 이제 막 태어난 화산섬

- 어느 날 갑자기 생각지도 않은 밤, 강력 사건이 일어나는 것처럼 쉬르트세이섬도 그렇게 생겼어.

- 갑자기 바닷속에서 산이 쑥 솟아올랐나요? 혹시 대나무가 있어 그것으로 '만파식적'이라는 피리를 만들었나요?

- 응. 그건 아니고. 60년 전 화산섬이 하나 갑자기 생겼지. 1963년 인환이 큰아버지가 태어났던 해, 화산이 폭발하면서 하늘이 화산재로 시커멓게 덮였어. 약 130미터 바닷속에서 폭발했는데 바닷물이 가열되어 수증기도 같이 올라왔지. 이 섬은 4일 만에 폭이 600미터, 높이가 60미터인 섬이 되었지. 1964년부터는 용암이 흘러넘쳐 토지를 만들고, 1967년 5월까지 화산이 폭발하고 용암을 분출했지.

- 섬이 탄생한 것이네요.

- 지구에서 가장 나이가 어린 화산섬이야. 동서로 500킬로미터나 되는 아이슬란드도 화산섬. 태평양 중심에 여덟 개의 큰 섬과 백여 개의 작은 섬으로 이루어진 하와이도 마찬가지야. 울릉도나 독도도 화산섬이고.

- 섬에 무슨 일이 벌어졌을까 궁금해지네요.

- 일종의 천연실험실이었지. 식물과 동물이 이 땅에서 과연 어떤 모습으로 정착할 것인가 실험을 했지. 이름도 지었어. '쉬르트세이'. 현무암질 화산섬이라 검게 보여 '검은 산'이라는 뜻으로. 사람들도 너처럼 궁금해했어.

- 주로 뭐를 궁금해했어요?

- 화산재와 모래, 용암이 덮인 화산섬 탄생 과정을 보고 생명이 사는 데 시간은 얼마나 걸릴까, 뭐가 먼저 자랄까, 궁금해했지. 그래서 아이슬란드 정부는 허가받은 생태학자를 제외하고는 출입을 엄격하게 제한하기로 했어. 최대한 사람의 방해를 없애려고 그랬지.

- 거기 생물들이 찾아왔나요?

- 당연히 찾아왔지. 방사능 유출 참사가 일어났던 체르노빌에서도 새로운 생물들이 자리를 잡고 잘살고 있지. 사람이 살 수 없어 떠난 곳인데, 덤불이 아스팔트를 뚫을 정도가 되었어. 지금 거기는 구소련에서 가장 다양한 생물서식지로 변신했지.

- 아, 답답해요. 어떤 식물이 찾아왔나요?

- 1965년 봄이야. 첫 분화가 있고 2년도 되기 전, 아직 화산이 분화하던 중이야. 섬 모래 해변에 '카킬레 아르티카'라는 첫 식물이 모습을 드러냈어. 염분 없는 물이 근처에 없는데도 말이지. 섬에 최초로 정착한 새는 '폴마갈매기'이고.

- 음, 그렇구나. 진짜 아이슬란드 정부가 엄격하게 관리했어요?

- 그렇지. 해변에 상륙하거나 섬 옆에서 잠수하는 것도 막았어. 자연적 현상을 교란시켜서도 안 되고, 생물이나 광물, 흙을 들여오는 것도 안 돼. 섬에 쓰레기를 버리는 것도 안 돼. 건축공사를 하는 것도 물론 안 되고, 유조선 기름 유출도 있어서는 안 돼. 그런데 말입니다. …이건 말하기 뭐한데, 섬에 연구하는 과학자가 용변을 보았다가 1969년에 놀라운 일이 발생했어. 어느 날 섬에 토마토가

자라기 시작한 거야. 급격하게 토마토 넝쿨이 자라, 섬을 뒤덮을 정도였어. 원인을 알 수 없어 혼란스러운 상황이 되었고, 결국 해당 과학자는 용변을 보았다는 것을 실토했어. 그때부터 연구는 처음부터 다시 시작되었어. 토마토는 모조리 제거해 버렸고.

- 사소한 행동 하나가 연구에 큰 지장을 주었군요.

- 아무튼 화산 폭발로 탄생한 땅에 동식물이 어떻게 정착하는지 과학자들이 많은 연구를 했어. 식물은 어떻게 화산섬까지 올 수 있을까. …씨앗, 곰팡이, 세균, 버섯은 해류가 운반해 왔는데 관다발 식물이 처음 나타난 것은 1965년 무렵이야. 10년의 세월이 흐른 뒤에는 10종이나 되었고.

- 혹시 섬 상공에서 갈매기가 싼 똥이 거기 떨어지지 않았을까요?

- 아마 그럴 거야. 지금 쉬르트세이섬은 아무것도 살지 않았던 곳에서 수백 종의 무척추동물, 다양한 식물이 자라는 곳으로 바뀌었어. 선태류, 돌옷녹말, 균류. 조류 등.

- 선태류는 어떤 것을 말하는가요?

- 이끼선(蘚)은 솔이끼를 말하고, 이끼태(苔)는 우산이끼를 말해.

- 흐흐 이끼를 말하는 거네요

- 에끼!

36. 에버글레이즈 국립공원 (미국) 위험에 처한 세계자연유산

- 이제 악어를 만나러 에버글레이즈 국립공원으로 가보자. 미리 이

야기해 두지만, 악어가 보이지 않으면 더워서 물속에 들어간 것이고, 뭍으로 나와 햇볕을 쬐고 있으면 먹이를 소화 시키는 중이야. 굳이 건드리지만 않으면 악어는 물지 않는데 조심하는 게 좋아. 한 아이가 악어를 가까이 보려고 다가갔다가 물려 큰 상처를 입은 적이 있거든.

- 무섭겠어요. 악어가 이빨을 드러내고 있으면.

- 그런데 사람들은 미시시피악어보다 모기를 더 두려워하지. 자, 미국의 플로리다반도 아열대 습지 에버글레이즈로 가보자. 거북이나 곤충도 살지만 앨리게이터, 크로커다일 2종의 악어가 서로 공존하고 있는 곳.

- 크로커다일하고 앨리게이터는 어떻게 달라요?

- 악어는 크게 세 종류로 나누는데 크로커다일, 앨리게이터, 가비알로 나눠. 가비알은 쉽게 구분이 돼. 입이 좁고 길쭉해 우스워 보이거든. 그런데 사촌간인 크로커다일과 앨리게이터는 구분이 잘 안 돼.

- 어떻게 구분해요?

- 델핀 페레가 쓴 그림책을 보면 알 수 있어. 크로커다일은 입을 다물면 네 번째 아랫니가 밖으로 살짝 삐져나와.

- 아하, 그렇구나.

- 그 밖에 모래톱에 사는 붉은노랑부리저어새, 갈색사다새, 물고기를 잘 잡는 대백로, 개체수가 급격히 감소한 붉은가슴흑로 같은 섭금류들이 있고, 사람을 무서워하지 않는 새 아닝가도 있어.

- 아니 새가 사람을 무서워하지 않으면 안 되는 거 아닝가.

– 하하하! 아닝가는 안힝가(Anhinga)를 말해. 우리말로 뱀가마우지! 머리만 내밀고 사냥을 해서 ´스네이크버드´라고 부르기도 하고. 각설하고, 공원은 플로리다주 마이애미에서 50킬로미터 떨어진 곳이야. 북아메리카에 하나밖에 없는 아열대 습지 보존구역으로 수백 개의 섬으로 이루어져 있고. 한마디로 온대와 열대 기후가 만나는 지점에 있어. 물도 마찬가지야. 민물과 소금이 섞인 기수가 만나 함께 흘러. 그래서 다양한 동식물이 살 수 있는 복합적인 서식지가 된 거지.

– 겉으로 보기에 습지에는 아무것도 없어 보이는데.

– 그렇지. 기수가 흐르는 곳에 여러 군데 맹그로브 군락이 있고, 내륙 쪽으로 풀로 덮인 개펄이나 '소그래스'라는 톱날처럼 날카로운 사초과의 풀이나 갯쥐꼬리풀이 자라는 목초지가 펼쳐져 있어. 나무가 습지나 초원에 자라면서 만든 해먹이나 나무섬이라고 불리는 작은 섬도 있지. 썩은 물이나 고인 물에서도 자라는 낙우송 군락, 슬래시소나무숲도 있고.

– 서로 다른 것들이 잘 만나면 좋은 일이 생기는군요.

– 그래서 서로 마음이 잘 맞으면 케미가 좋다고 하나 보다.

– 궁합이 좋은 게 아니구요?

– 아무튼 에버글레이즈의 원류인 오키초비 호수는 '큰물'이라는 뜻으로, 넓이가 서울의 3배지만 물의 깊이는 고작 3m밖에 안 돼. 그래스강 하류까지 기울기가 얼마 안 되어 물은 고여있는 거나 마찬가지야. 호수에서 플로리다만까지 209킬로미터를 아주 느린 속도로 흘러. 그러다가 폭이 자그마치 80킬로미터에 달하는 키 작은

풀 사이를 거쳐 빠져나가게 되어 있어. 이 강을 인디언들은 '파 하이-오키'라고 불러.

- 느낌이 옵니다. 오키! 생명이 숨 쉬는 소리!

- 그래. 바로 여기에 앞에서 말한 섭금류 새들과 사나운 미시시피 악어가 살아. 우기는 5~11월, 건기는 12~4월이면 물이 줄어들고 습지가 마르기 때문에 악어를 비롯한 동식물을 만나기 쉬워. 야생 동물들도 악어 구멍으로 모이니까.

- 동물들은 없어요?

- 여기에도 바다소라고 불리는 '매너티'가 많이 살았는데, 지금은 1,000마리 정도만 살아. 플로리다 팬더는 30마리 정도 남았는데, 전파발신기를 단 채 살고 있고.

- 우리는 어디로 들어가요?

- 국립공원은 들어가는 곳이 네 군데야. 샤크밸리(북쪽, Shark Valley Visitor Center), 서쪽인 걸프만(멕시코만 쪽, Gulf Coast Visitor Center), 동쪽 홈스테디 마을(로열팜, Ernest F. Coe Visitor Center), 플라밍고(플로리다 남쪽, Flamingo Visitor Center). 서로 연결이 안 되어 있으니까 선택을 잘해야 해. 우리는 어디로 갈까?

- 사람들은 주로 어디로 들어가요?

- 동, 남쪽이나 북쪽 출입구를 통해서 가는데, 우리는 남쪽으로 가볼까? 플로리다 남쪽, 도로를 따라 달리면 보면 닿는 플라밍고 마을이야. 거기서 보트 투어 하면 아열대 대자연을 만날 수 있지. 수초들이 모여 자라고, 맹그로브 숲과 키 큰 사이프러스 나무가 빽빽

하게 서 있어 햇빛도 들어오지 않는 곳이지.

- 플라밍고가 새 이름이에요?

- 응. 여기서 가장 많이 볼 수 있는 새이자 마을 이름이지.

- 북쪽 샤크 밸리로 들어가는 건 어떤가요?

- 차는 가지고 들어갈 수 없어. 도보 하이킹과 자전거만 이용할
수 있어. 대신 프로펠러가 달린 배를 타고 늪지대 곳곳을 들어갈
수 있어. 프로펠러 소리가 시끄럽지만 나쁘지는 않아. 동물들이 귀
를 막고 가는 우리를 보고 웃어주니까.

- 아무튼 우리는 악어를 볼 수 있는 곳으로 가야지요.

- 좋아. 샤크밸리 쪽으로 가 보자. 악어농장이 있는 가토르 파크까
지 트램을 타고. 에어 보트를 타도 좋아. 늪지대 체험도 할 수 있
으니까.

- 자전거 투어는 없어요?

- 있지. 속도를 지키고 트램을 만나면 멈췄다가 가야 해.

- 사람들은 살지 않아요?

- 북쪽 입구에 대대로 여기서 살아온 미코수키 인디언 거주지가
있어. 백인들이 들어오기 전 습지대의 주인이었지. 그들의 전통적
인 삶을 볼 수 있고, 악어사육장에서는 악어와 싸우는 모습을 재현
하기도 해.

- 거주지에 가보고 싶어요. 그런 뒤 트램도 한 번 타보고요.

- 그렇게 하도록 하자. 아침 9시부터 4시까지 하니까. 여기서 잠
깐! 이곳은 1947년 지정된 미국 최초의 자연공원이며 아열대 습
지 보호구역인데, 1985년 인구가 600만 명이 넘고, 산업화가 진행

되면서 생태계가 위험해졌어. 공원 주변에 사람이 많이 살게 되고, 개발 공사가 늘어나면서 물고기와 야생동물이 농약이나 수은중독이 되는 등 생태계가 심하게 훼손되었고. 결국 이곳은 1993년에 위험에 처한 세계유산으로 지정됐어.

- 그래서 어떤 노력이 있었어요?

- 화해와 보존을 위한 노력 덕에 2007년에 위험에 처한 세계유산에서 해제됐어. 덕분에 멸종위기종도 찾아냈고. 흑표범, 숲황새, 아메리카악어, 플로리다 바다소, 달팽이솔개 등. 그런데 말이야.

- 또 위험해졌어요?

- 응. 유입되는 물이 줄어들고, 수질이 악화되고, 해양 환경이 안 좋아지며 다시 2010년에 위험에 처한 세계유산으로 또 지정되었어.

37. 시안카안 생물권 보전 지역 (멕시코) 하늘이 태어난 곳

- 유카탄반도 마야문명에 대해 들어본 적 있어?

- 그럼요. 마야 달력 보드게임도 있어요. 마야 달력 종말의 날은 2012년 12월 21일이었어요.

- 종말이 왔어?

- 아니요. 태양계 행성이 일직선으로 배열되는 날 종말이 온다고 했는데, 진짜로 오지는 않았어요.

- 지금까지 종말을 예언해서 사람들을 견딜 수 없는 혼란에 빠뜨

린 자가 수도 없이 많았지만, 정작 종말은 오지 않았어.

- 진짜 종말은 없을까요? 무서워요.

- 무섭기는. 사람은 누구나 죽어. 그게 종말이고.

- 그래도.

- 종말이 온다면 누구는 무엇을 믿어서 살고, 누구는 믿지 않아 죽는 일은 없을 거야. 진짜 종말이 온다면, 아마도 인간으로 인해서 생긴 온난화와 기상이변으로 올 거야. 아니 그때도 지구는 살아 있을 거야. 인간이 살 수 없는 지구가 될 뿐이지.

- 아무튼 마야인들 신비로워요.

- 그렇지. 마야문명은 숫자 0을 사용했고, 모양이 특이한 고유의 마야 문자, 그리고 20진법을 사용했다고 해. 당시 아메리카에서 가장 발달한 언어체계와 천문학 기술이 있었다고도 하고.

- 우와. 20진법! 시안카안은 무슨 뜻인가요?

- 고대 마야인의 언어로 '하늘이 태어난 곳'이라는 뜻이야. 최근 마야 인공운하가 발견되었는데 여기가 아즈텍문명과 마야문명의 중심지야. 보전지역 안에 23군데의 마야 유적지가 있고, 밀림 곳곳에 신비의 피라미드도 남겨져 있어.

- 자연은요?

- 그뿐 아니라 다양한 동식물이 살고 있어 가치가 높은 곳이지. 이 생물권 보전지역에는 멀지 않은 바다를 길게 이어진 산호초(보초)가 가로지르고, 열대림, 충적지, 섬, 바닷가 소택지, 사막지대, 맹그로브, 늪지가 들어 있는데 자연 그대로의 상태로 잘 보존되어 있어.

- 바닷가 안쪽에 산호초가 길게 누워있어요?

- 자그마치 110킬로미터에 걸쳐 길게 누워있어. 해변의 백사장도 환상적인 풍경을 보여주는데 야자수가 우거져 있고, 해변은 하얀 산호초 가루가 밀가루처럼 부드럽게 변한 하얀 산호초 가루가 차지하고 있어. 들어는 봤나? 에메랄드빛 카리브해! 여기가 낙원이 아닐까 잠시 착각하게 되지.

- 바닷속에는 어떤 생물이 살아요?

- 미생물도 살지만 천여 종이 넘는 물고기들도 살아. 바다에는 검은머리황새, 큰홍학, 민물가마우지, 갈라파고스군함새, 무지개앵무새, 해오라기, 따오기 같은 새들도 살고. 다음, 카리브해 아센시온만과 에스피리투센토만을 따라가면, 울창한 맹그로브 습지가 기다리고 있어. 온갖 오염을 거르고 퇴적물을 가두어서 척추동물, 무척추동물을 보호하는 곳이지.

- 그다음은 열대림이 나오는가요?

- 응. 소택지에서 내륙 쪽으로 가면 카멜레온, 이구아나, 재규어, 거미원숭이, 흰꼬리사슴, 펙커리, 베어드테이퍼, 작은개미핥기 같은 포유류가 103종이나 살아. 그뿐 아니야. 용설란이나 풍란 같은 식물도 볼 수 있어.

- 아빠가 좋아하는 난이네요.

- 희귀한 난이거든. 말만 들어도 설레지.

- 산호초와 바닷가 사이에 갯벌이 있네요.

- 앞에서도 말했지만, 갯벌은 아무 쓸모 없이 보여도 많은 생물이 살아. 멕시코 해안 부근에 사는 여섯 종 거북 중 네 종이 여기 살

아. 바다거북, 장수거북, 붉은바다거북, 대모. 그리고 멕시코악어와 아메리카악어도 볼 수 있어. 카리브매너티도 살고.

- 카브리매너티요?

- 응. 듀공과 비슷하게 생겼는데 지느러미가 반달 모양으로 날렵한 게 아니라 노처럼 둥글고 크지. 눈은 작고 코는 크지만 귀는 귓바퀴 없이 구멍만 뚫려 있어 둔해 보여. 물속에서 풀을 뜯어 먹는 '바다 소'라 그런가. 베어드테이퍼는 돼지나 하마와 비슷하게 생겼는데, 옛날 우리나라에서 '맥'이라고 불렀던 동물이야. 펙커리는 멧돼지와 비슷하고. 혹시 '세노테스'라고 들어봤니?

- 아니요.

- 시안카안이 유카탄반도라는 석회암 평원에 놓여 있기 때문에 생긴 거야.

- 아, 카르스트 지형이요.

- 응. 여기에서는 비가 내리면 우리나라처럼 물이 대지 위를 타고 흐르는 것이 아니라 지하로 빨리 스며들어. 지면에 가까운 씽크홀로 물이 모조리 몰려드는 거지. 스페인어로 '신성한 우물'이란 뜻인 '세노테스'는 지름이 60미터, 깊이가 80미터나 돼.

- 집수장과 비슷한데 생각보다 크네요.

- 응. 과거 마야 사람들은 이곳을 영적인 지하 세계로 가는 입구로 여겨 신성시했지.

- 그리스신화에 나오는 하데스가 다스리는 세계요?

- 그렇지. 마야 사람들은 이곳을 저승인 시발바로 가는 통로라 여겼어. 비의 신 '차크'가 있는 곳으로 여겨 제물을 바치고 가물 때

기우제를 올렸던 곳이기도 하고.

- 세노테스, 어쩌면 레테의 강이네요.

- 망각의 강. 뱃사공이 나오면 딱 우리나라 쪽 저승인데. 흐흐. 자, 각설하고. 이곳은 말이야. 카리브해 보초, 석호, 맹그로브, 다양한 습지가 있는데 17가지 유형의 식생을 가진 최고의 생태계야. 삼림을 보면 중간 고도에 반 상록수림, 중간 고도와 저지대에 반 낙엽수림, 야자수가 풍부한 것이 또 다른 특징이야.

- 아, 저는 야자수가 좋아요. 그 아래를 걸어보고 싶은 꿈이 있어요.

- 저런! 어쩌다 가끔이지만 10미터가 넘는 야자나무 밑을 지나다가 코코넛이 떨어져 다치거나 사망하는 일이 있어. 강풍이라도 불면 더 위험하고.

- 그러면 야자나무에 기대어 멋진 포즈를 취하며 쉬거나 잠을 자도 안 되나요?

- 그렇다니까. 아주 조심해야 해.

- 물이 잠기는 지역, 습지에 키 작은 나무들이 모여 있는데 꼭 섬처럼 보여. 이것을 '페테네스'라고 해.

- 나무들이 모여 섬을 만든다고요?

- 응. 숲이 우거진 섬이 군데군데 수백 개가 있지. 맹그로브와 내륙 삼림 사이에는 남북으로 초원이 펼쳐져 있어. 거기에는 벼과 식물들이 자라고 있고. 혹시 껌 좀 씹어볼래?

- 네. 좋아요.

- 여러 세대를 거치며 이어진 마야인 전통인데 나무에서 수액을

채취해 천연껌을 만드는 거야. 나무의 이름은, 치코자포테나무. 그런데 이 나무는 7년에 한 번씩만 물을 주어야 한다지.
- 7년에 한 번이요? 그것 참 희한해요.

38. 벨리즈 산호초 보호지역 (벨리즈) 세계 두 번째 큰 산호초 지대

- 이제 조금 밑으로 내려가 세계에서 두 번째로 큰 산호초지대 벨리즈로 가보자. 길이가 257킬로미터나 되는 해안을 따라 보초가 있고, 3개의 환상의 산호섬이 있는 곳이지. 글로버스 산호섬, 터니프 산호섬, 라이트하우스 산호섬. 선크림 바르면 안 되는 거 알지?
- 그럼요. 아름다운 산호초를 해치잖아요. 자, 라이트하우스 산호섬부터 가요.
- 어떻게 멋진 곳을 알았을까?
- 저도 그 정도는 알아요. TV에서 봤어요.
- 거기에 가려면 일단 키 코커로 가야 해. 조용하고 한가로워서 시간도 천천히 흘러가는 캐리비안 바닷가 여유로운 섬. 거기서 강렬한 태양에 몸을 맡기고 일광욕도 하고 수영이나 다이빙도 하자.
- 저는 일단 라이트하우스 산호섬에 있는 그레이트 블루 홀이 보고 싶어요.
- 푸른 웅덩이, 다른 말로 보카시에가(Boca ciega). '지구의 눈'이라고 불릴 정도로 독특하고 아름다워 수많은 사람들 마음을 빼앗은 '신이 만든 함정'이지. 동그란 원처럼 생겼는데 깊이가 123미터

라 빛이 바닥까지 닿지 않아 검푸른색을 띠는 신비의 눈을 지녔지.

- 맞아요. 아름다운 여인 같아요. 깊은 눈을 지닌.

- 해안 쪽에는 세노테라는 지하 우물도 있어. 여기가 카르스트 지형이거든. …스쿠버다이빙을 하면 깊은 바다의 해양생물도 볼 수 있어. 주변에 돌고래가 살고 있어 같이 헤엄칠 수도 있지. 자정앵무새, 카리브해 암초상어를 볼 수도 있고. 그런데 수심 깊은 곳에 급류가 있어 자주 사고가 일어나. 조심해야 해. 우리 같은 초보자는 그냥 보기만 하고 참는 게 좋아.

- 가시가 있는 장미로군요.

- 벨리즈는 멕시코 남쪽 카리브해에 접해 있는데 크기는 한반도 10분의 1 정도이고, 인구는 40만 명 정도. 전형적인 열대기후에 대부분이 산이고 늪지나 열대밀림도 많아. 카리브해 연안은 산호초 지대라 산호섬도 450개 정도야. 우리나라는 무비자로 입국이 가능해.

- 나중에 친구들하고 다시 와야지.

- 바닷물은 평균 20도 이상인데 산호와 공생하는 것은 편모조류의 일종인 갈충조야. 광합성을 해서 산호초에 산소와 영양을 공급하고 있어. 작은 섬에는 맹그로브가 군락을 이루고 있는데 이것이 대단한 역할을 해. 물고기와 갑각류, 연체동물 등을 먹여 살려. 조류는 이들을 먹고 살고.

- 섬에는 주로 무엇이 살아요?

- 산호섬에 서식하는 식물은 주로 코코넛 야자나무들이야. 대표적인 동물은, 새끼를 안고 젖을 먹이는 습성 때문에 인어로 오인된

초식성 포유류 카브리매너티.

- 바다소 말이지요?

- 맞아. 듀공의 미국사촌이지. 700마리 정도가 살아. 브라운 펠리
컨, 검은제비갈매기도 살아. 완벽하게 적응한 붉은발얼가니새(은발
부비, sula sula)가 4천 마리 정도 둥지를 틀고 있고, 날쌔게 나는
모습이 군함과 닮았다는 군함새도 살고 있어. 부리 끝이 휘어지고,
번식기가 되면 수컷이 선홍색 주머니를 부풀리는. …흰왕관비둘기
들은 지나친 사냥으로 멸종위기에 몰렸고.

- 홀찬 보호구역은 뭔가요?

- 자, 스노클링 세트를 착용하고 들어가 보자. 마스크에 습기가 안
차게 하려면 코로 숨을 쉬면 안 되는 거 알지. 아니면 렌즈 안쪽
에 안티포그액이나 침을 발라. '홀찬보호구역'은 마야 부족이 산호
초에 낸 좁은 틈을 말하는데, 뱃길로 쓰려고 그랬겠지. 이들은 파
도에 밀려 해변으로 온 고래의 분비물도 수집했는데 그것이 바로
'용연향'이야.

- 처음 들어봐요.

- 당시 유럽에서 향수 산업에 쓰던 것인데 가치가 금이나 다름없
  을 정도였어.

- 거의 로또 수준이었네요.

- 지금은 어쩐지 잘 모르겠어. 각설하고, 스노클링하면 바다와 산
  호초 내부 사이에 움직이는 해양생물을 볼 수 있어. 상어, 상어
  잡아먹는 물고기 '그루퍼', 성질이 포악한 바다의 깡패 '바라쿠
  다'가 나타날 거야. 그리고 말이야.

- 뭐가 또 있어요. 아, 무서워요. 저는 홀찬에 안 들어갈래요.

- 산호초 얘기하려고 했어. 산호를 보거든 만지지 말라고 하려고 했지. 긁히기 쉽고 독성이 있으니까. 산호도 면역이 약해지고.

- 아무튼 저 안 들어갈래요. 혼자 들어가세요.

- 그렇게 하세요. 여기에는 바다 동물, 해면동물, 갑각류가 다양하게 있고 연체동물, 히드로충, 골침산호도 있어. 육상식물, 해양식물이 많이 사는데 어류는 500종이 넘어. 그중 천사고기(퀸 엔젤)는 파란색 노란색 선명한 색상에 등지느러미가 우아하고 늘씬해서 카리브해에서 제일 아름다워 보여.

- 사람들이 좋아하는 이유가 있군요. 참, 멸종위기 동물도 있다고 들었는데요?

- 세계에서 가장 많은 서인도매너티가 살고 있어. 아메리칸악어, 붉은바다거북, 대모거북, 바다거북도 살고. 로거헤드, 푸른바다거북, 잎발가락도마뱀붙이, 아놀리스 알리소니(앨리슨의 아놀) 등 멸종위기종이 있지.

- 서인도매너티와 카브리매너티는 같은 것인가요?

- 응. 단어는 다르지만, 같은 동물을 이야기하는 거야. 바다소에 들어가는데 바다소에는 듀공이 1종, 매너티가 3종(서인도제도매너티, 서아프리카매너티, 아마존매너티)이 있을 뿐이야. 이들은 다 채식주의자들인데 언제부터인가 소고기보다 맛있다는 소문이 나면서 가격이 올라갔고, 사람들이 마구잡이로 잡은 거야.

- 몸에 좋다면 뭐든 먹는 사람들 때문에 동식물이 남아나지 않네요. 참, 마야인들이 살기는 살았어요?

- 응. 유적지 조개무지를 보면 약 2500년 전부터 마야인들이 해안가나 산호섬에서 고기잡이를 한 것으로 보여. 산호섬에 자리를 잡고, 일을 하거나 의식을 거행하고 매장도 했을 거야. 마지막으로….
- 대단한 문명이었죠. 더 하실 말씀이라도?
- 말할 게 한 가지 있어. 벨리즈 산호초 보호지역이 2009년 위험유산으로 지정된 뒤 카리브해에 있는 작은 나라 벨리즈가 기울인 어마어마한 노력이야. 종종 호주와 비교되기도 하지만 일단, 석유탐사를 금지하고 맹그로브숲을 되살려 해안침식을 막았어.
- 위험 유산에서 탈출했어요?
- 맞아. 2018년 위험유산에서 빠졌지.
- 박수!!!

39. 말펠로 동식물 보호구역 (콜롬비아) : 바다의 오아시스

- 이번에는 콜롬비아로 가보자. 말펠로 동식물 보호구역도 사람이 접근하기 쉬운 곳이 아니야. 해안에 100미터가 넘는 절벽이 버티고 있거든. 육지에서 거리도 멀어. 콜롬비아 해안에서 506킬로미터나 떨어져 있는 화산섬이야.
- 거기에 비하면 독도는 가까워요. 울릉도는 육지(강원도 삼척시 원덕읍 임원리)에서 137km킬로미터 떨어져 있고, 독도는 울릉도에서 동남쪽으로 87.4km 떨어져 있으니까요. 음, 합치면 본토에서 고작 224.4킬로미터 떨어져 있네요.

- 언제 그런 공부를 했을까, 인환이가. 아무튼 사람들 영향이 없으니까 동물들은 어떤 제지를 받은 흔적 없이 자연스럽게 살고 있어.
- 구김살 없이요?
- 그래. 태평양 동쪽에 위치한 열대지역 어로 금지구역으로도 지정해 놓았는데, 멸종우려가 있는 해양생물은 다 모여 있는 것 같아. 왜 모이게 되었을까?
- 대규모 집단, 다양한 생물들이 산다고 했으니까, 음, 먹을 것이 풍부하게 있기 때문 아닐까요?
- 그렇지. 이런 곳은 세계적으로 흔치 않아. 자이언트 그루퍼. 상어, 새치도 살아. 그리고 희귀한 심해 상어도 목격됐어. 오죽하면 '해양 사막의 오아시스', 저수지(reservoir)라는 이름을 붙였겠니.
- 자이언트 그루퍼는 그룹으로 사나요?
- 맞아. 그룹을 이룬다고 해서 그루퍼야. 그런데 자이언트 그루퍼는 혼자 있는 것을 좋아해.
- 자이언트 그루퍼는 우리말로 '대왕바리'야. 붉바리, 자바리, 다금바리 등의 바리과 중 가장 크지. 바다거북 새끼, 딱딱한 닭새우, 소형 상어도 큰 입으로 단번에 삼켜버려 '바다의 진공청소기'라는 별명이 붙었어. 그런데 대왕바리에게는 '시가테라'라는 독이 있으니 조심해야 해.
- 우리 물고기 공부하던 때로 돌아간 것 같아요.
- 우리 바다가 품은 온갖 이야기 말이구나. 각설하고, 말펠로는 남반구와 북반구 무역풍이 부는 열대기후, 적도 부근이라 저기압지대로 식수원이 없어. 연평균 기온은 27도로 더워. 우기는 5~6월부터

12월까지고.

- 물이 없으니 생수를 가져가야겠어요.

- 그래. 이곳은 섬이 해저 능선에서 솟아오르기 때문에 지형이 험준해. 가파른 절벽, 웅장한 바위, 천연동굴의 뛰어난 아름다움, 거기에다가 깨끗한 바닷물, 모랫바닥으로 인해 세계적인 다이빙 장소로 각광을 받고 있어. 이것은 해류 때문이라고 할 수 있는데 캘리포니아해류, 페루해류, 북적도해류, 남쪽적도 해류, 적도 역류가 만나는 곳에 있어 이른바 '바다의 오아시스'가 된 거지. 그래서인지 엘리뇨와 라니냐 영향도 받고.

- 섬에 들어가 스노클링하면 좋을 것 같아요.

- 들어가는 방법은 한 가지야. 보트를 대고 줄사다리를 타고 올라가는 거지. 사람이 살지는 않아. 단지 작은 콜롬비아 해군기지가 있을 뿐이야. 섬은 화산섬이라 바위가 많은 지형이야. 풀이나 나무도 자라지 않아. 이끼류, 양치류 중에 '피티로그램 딜바타'라는 고사리가 살아. 지의류, 조류도 살고 있어.

- 아이 참, 스노클링을 하면 뭘 볼 수 있어요?

- 귀상어가 200마리가 넘으니 제일 흔하게 보여. 그런데 다른 데와 달리 수면 근처까지 귀상어가 올라와. 흑점상어도 1,000마리나 되니까 모여 있는 것이 한 번씩 보이고. 고래도 있어. 혹등고래가 물 밖으로 점프하기도 하는데 운이 좋으면 같이 다이빙을 할 수도 있지. …고래상어, 샌드타이거상어, 참치도 있어. 해양 쥐가오리, 나비고기도 볼 수 있고.

- 그밖에 다른 고기는 없어요?

- 천 마리가 넘는 참치, 새치, 점박이 독수리 가오리, 만타가오리, 가다랭이, 펠리컨 바라쿠다 등이 살지.

- 새들도 살아요?

- 새들은 60종 이상이 살아. 그중 30종이 철새이고. 바닷새들의 천국인데 갈라파고스 가넷(술라 그란티, 나스카 부비) 군락이 금방 눈에 띄어. 물고기를 사냥할 때는 공중을 날아다니다가 고속으로 잠수해서 물고기를 잡아먹는데 한두 마리가 아니라 수십 수백 마리가 떼를 지어 사냥하는 바람에 포탄이나 어뢰 떨어지는 것 같다는 새 말이야. 그 밖에 군함새, 갈라파고스 제비도 살고.

- 최고 속도가 얼마나 나와요?

- 투수도 아니고 무슨 속도야. 바다에 닿은 순간 최고 속도는 아마도 시속 100킬로미터 정도.

- 그러다 잘못되면 큰일 날 수도 있겠는데요.

- 그래. 속도에는 위험부담이 따르지. 아무튼 말펠로 동식물 보호구역은 다양한 해양생물이 살 수 있을 만큼 영양이 풍부해서 멸종 위기에 처한 해양생물도 많이 살아. 동부 열대 태평양에서 가장 넓은 어로 금지구역으로 지정되어 있는데 해양사막 가운데 있는 바로 이 오아시스를 지키는 가장 좋은 방법이지.

- 바라는 것이 있다면요?

- 외래종 침입이 없어 그 자체로도 소중한 보물인데 남획이나 다른 위협으로부터 잘 보존할 수 있기를 바랄 뿐이지.

40. 코이바 국립공원과 해양 특별 보호구역 (파나마) 멸종우려종의 피난처

- 파나마에 오니 갑자기 권태응 선생의 <감자꽃>이 생각나네. 자주 꽃 핀 건 자주 감자 / 파보나 마나 자주 감자/ 하얀 꽃 핀 건 하얀 감자/ 파보나 마나 하얀 감자

- 저도 하나 시를 하나 지을게요. 파보나 마나 파나마 운하.

- 혹시 그거 아니? 우리가 가려는 코이바 섬에 한때 교도소가 있었다는 거 말이야.

- 아니요. 전혀 몰랐어요.

- 18세기 세계 각국에서 말이야. 탈옥이 힘든 고립된 섬에, 흉악범 감옥을 만드는 것이 유행이었는데 마피아 두목 알 카포네가 갇혔던 미국의 앨커트래즈섬, 영화 '빠삐용'에 나온 프랑스령 기아나의 악마의 섬이 유명해. 한 번 들어가면 죽어서야 나올 수 있는 교도소였지. 그러다가, 20세기 들어 감옥 섬이 하나둘 문을 닫고, 파나마의 코이바 섬 교도소도 2004년에 문을 닫았어.

- 그래서 이 섬이 코이바 국립공원이 되었군요.

- 코이바 국립공원은 코이바섬, 38개의 작은 섬과 치리키만 내 해양 지역을 다 포함해. 코이바섬은 중앙아메리카에서 가장 큰 섬으로, 아주 오래전 해수면이 상승하면서 본토에서 분리되었지. 북서쪽에 치리키만, 동쪽에 몬티호만이 있고. 여기서부터 코딜레아 산맥이 시작하는데, 태평양 연안에서 가장 큰 산호초가 에워싸고 있어.

- 코딜레아 산맥에 무엇이 있는데요?

- 음, 좋은 질문이야. 유네스코 자연유산인 코코스제도와 갈파고스 제도가 그 산맥에 이어져 있지. 500년 이상 외부의 간섭이 없었던 코이바 섬도 청정한 자연을 그대로 유지하고 있고.

- 조선왕조 500년 같아요. 조용한 아침의 나라.

- 사실 아빠도 어린 시절 농촌에서 살 때는 아, 나도 우리 조상들이 살다가 돌아가신 것처럼 농사를 지으며 아무 변화 없이 살겠구나, 하는 생각을 한 적도 있지만 그건 잠시였어. 도시에 나오자마자, 생존경쟁에 휩쓸리고 먹고살기 위해 무슨 일이든 해야 할 처지에 놓였어. …참 그때가 좋았는데.

- 맞아요. 그랬다면 아빠도 지금과는 달리, 좋은 성품을 그대로 지녔겠지요.

- 아니, 그럼 지금 내 성격이 좋지 않다는 말로 들리는구나.

- 섭섭했다면 죄송해요. 자연 속에 사셨다면 좀 더 순수한 상태로 남아있지 않을까 해서요.

- 아, 그런 뜻이구나!

- 세계 자연유산 어디를 가나 사람이 문제인 것 같아요.

- 맞아. 포유동물이나 식물, 조류가 지속적으로 진화하면서도 높은 수준의 고유성을 유지하는 것은 고립된 위치 때문이지. 이곳은 열대습윤지역인데 관다발식물, 포유동물, 양서류와 파충류, 조류가 고유종을 높게 유지하면서 서식하고 있어. 그것만이 아니야. 볏독수리, 스칼렛잉꼬 같은 멸종우려종 동물의 피난처가 되어주고 있어.

- 멸종우려종, 더 없어요?

- 붉은바다거북, 대모거북, 장수거북, 올리브각시바다거북, 참돌고

래, 향유고래, 뱀상어, 고래상어, 홍살귀상어. 아이구, 숨차다.

- 흐흐 죄송해서 어쩌지요.

- 아직 더 남았다. 코이바섬짖는원숭이, 망토짖는원숭이, 관머리독수리, 여기까지.

- 치리키만이 좋은 역할을 하는가 봐요.

- 차가운 바람과 엘리뇨 현상의 완충 역할을 해주면서 수중환경이 특이하게 만들어졌어. 상어가 33종, 고래목이 20종, 해양 어류가 760종. 다양한 생물종이 놀라울 정도로 서식하고 있지. 또한 이곳은 동태평양에서는 유일하게 연안에 가깝게 있어서 태평양 횡단 어류들도 살아. 그뿐 아니야.

- 엘리뇨 현상은 뭔가요?

- 동태평양 페루지역에 약2~7년 주기로, 크리스마스 무렵부터 봄철까지, 평상시보다 무역풍이 약해지면서 생기지. 주변보다 2~10℃ 이상 기온도 높아지고, 홍수가 빈번하게 발생하고. 이것을 남자아이처럼 거칠다고 해서 스페인어로 '엘리뇨(El-nino)'라 불렀어. 그 반대 현상도 있어.

- 라니냐 말이군요.

- 응. 페루에 평상시보다 무역풍이 강해지면서, 같은 주기로 서늘한 날씨와 강수량이 적고 가뭄이 많은 기후 현상을 말해. 여자아이 같아서 스페인어로 '라니냐(La-nina)'라 불렀고.

- 알고 보니 성차별적인 언어네요.

- 무심코 쓰는 말에도 그런 것이 있구나. 조심해야겠구나. 과거에 우리 세대는 생각 없이 '살색'이라는 말도 썼는데.

- 세상은 변하는 거죠. 옳은 쪽으로 가야 하고. 참, 적도 부근에는 주로 어떤 바람이 불어요?

- 적도 부근에는 북반구에는 북동무역풍이 불고, 남반구에는 남동무역풍이 부는데, 적도 태평양상에서는 동에서 서로 부는 편동풍 즉 무역풍이 불지.

- 다른 것도 있어요?

- 사실 진화론적으로 보면 짧은 시간인데 말이야. 여기 포유류나 조류, 식물 등을 보면 새로운 고유종이 태어나고 있다는 거야.

- 진짜요?

41. 과나카스테 보전지역 (코스타리카) 바다거북과 눈물의 난초

- 이번에는 코스타리카로 가볼까나. 과나카스테 보전지역.

- 코스타리카요? 아, 그 나라 축구 잘하는데. 유럽 팀하고 싸워도 안 밀리는데.

- 참, 인환이는 축구를 좋아하지. 코스타리카는 스페인어로 풍요로운 해안이라는 뜻인데 처음 스페인 사람들이 본 원주민이 금을 주렁주렁 달고 있는 사람들을 보고 지은 이름이래. 해발 800미터에서 2,000미터 사이에서 커피도 많이 재배하는데 고급 커피로 알려졌어. 열대지방이라 5월부터 11월까지 우기여서 건기가 오면 수확을 하지.

- 과나카스테는 무슨 뜻인가요?

- 이것은 공원에 많이 자라는 나무 이름인데, 중앙아메리카에서 가장 큰 나무야. 키가 40미터까지 자라고 지름은 2미터 정도이고, 위로 올라가면서 왕관처럼 퍼지는 모양이 수려해. 나뭇가지에서는 브로멜리애드 같은 공기정화식물이 자라고.

- 보존지역은 경계가 어떻게 되는가요?

- 과나카스테 보존지역은 태평양에서 105킬로미터 정도, 연안 저지대, 과나카스테 산맥, 이어지는 평야지대, 해안지대를 다 포함하고 있어. 그 안에 산타로사 국립공원이 있고. 일단 린콘 데 라 비에하 화산지역으로 가보자.

- 화산은 높이가 얼마나 돼요?

- 정상이 1,916미터로 성층화산인데 분화구가 3개, 호수가 하나 있어. 마지막 폭발이 있었던 것은 1980년인데 분화구 중 일부, 화산가스가 분출되어 나오는 분기공은 여전히 활동을 계속하고 있어. 부글거리는 진흙 구덩이를 볼 수 있고, 건조한 열대림과 온천지역도 볼 수 있어.

- 성층화산이 뭐예요?

- 분화구에서 분출된 용암이나 화산재가 자주 분출하면서 주변에 누적되는 원뿔 모양 화산이지. 산책로를 따라 걷다 보면 유황 냄새가 나는 연기가 올라와. 화산 가까이에 가면 나무도 있고 바위도 있는데 쏟아지는 폭포가 웅덩이를 만들고 있어 볼 만해. 열대림으로 들어가면 신기한 동식물도 볼 수 있는데 재규어나 원숭이, 킨카주를 만날 수 있어. 코스타리카의 국화로 서양난초의 일종인 '과리아모라다'도 곳곳에서 볼 수 있어. 세계에서 가장 많이 사는데 그

향을 맡으면 끌리는 사람들이 많아.

- 어떤 향이 나는데요?

- 음, 오렌지 향 비슷한데 낙원과 풍요를 상징하는 향이라고 해. 신비한 보랏빛 향이라고도 하고.

- 우리의 난초 향이나 매화향처럼 그윽할까요?

- 아마도, 맡아보지는 못했지만. …코스타리카는 면적은 한반도 4분의 1 정도인데 거의 절반이 원시림으로, 전 세계 생물종 5%가 서식하고 있어. 참, 그 이야기 했는지 모르겠다. 2012년 영국 신경제재단에서 전 세계 국가별 행복지수를 조사했는데, 코스타리카가 1위를 차지했어.

- 몇 개국이나 조사했는데요?

- 151개국 대상이었는데 삶의 만족도가 가장 높은 것으로 나왔어. 노인들 인터뷰가 인상적이야. 일찍 자고, 무리하지 않고 살아요. 축제에 참여하기도 하고.

- 국민총생산이 높다고, 땅덩어리가 크다고, 무기가 많다고 행복해지는 것은 아닌가 봐요.

- 그런가 봐. 숲에는 자단나무나 고무나무가 섞인 혼합 낙엽수림이 있고, 상록수가 서 있는 하천이나 범람원 주변 지대도 있어. 자라과 풀이 많이 자라는 사바나 지대, 참나무 숲, 맹그로브숲, 해안삼림지대, 칼라바시숲 등. 화산지대에도 여러 삼림 유형이 나타나는데 일 년 내내 구름이 덮여 있어. 모래흙에 바람이 불어대니 자생하는 나무들 키가 모두 작아.

- 강이나 습지에 대해서도 알려주세요.

- 과나카스테에서 가장 중요한 강이 하나 있는데 템피스케강이야. 린콘 데 라 비에하 화산 주변에서 생긴 하천이나 주변의 간헐천이 모여 이 강으로 흘러가 농경지에 물을 대고 있어. 해양지역으로는 연안의 섬이나 작은 무인도 암석해안, 탁 트인 대양지구, 20킬로미터의 해변이 포함되지. 그리고 전 세계적으로 잘 보존된 원시림이 있는 37개 습지대 삼림이 있어.

- 어떤 동물들이 살고 있어요?

- 매년 8월과 12월 사이에 나란호와 난시테 해변에 짝짓기를 하고 알을 낳으러 25만 마리의 바다거북이 떼 지어 몰려와. 어마어마한 장관이야. 이것을 주민들은 '아리바다'라고 부르는데 사실은 총공격이라고 봐야 해. 제일 먼저 초록 바다거북이 도착하고, 그다음에 올리브리들리바다거북, 마지막으로 장수거북이 도착해.

- 동물에도 보전해야 할 여러 종류가 있지요?

- 응. 일단 포유동물로 흰머리카푸친, 돼지처럼 생긴 흰입페커리, 멧돼지 닮은 목도리페커리, 거미원숭이, 고함 원숭이, 우리말로 '맥'이라고 부르는 중앙아메리카 테이퍼, 작은개미핥기, 얼룩 살쾡이인 마게이, 재규어, 작은 표범 오셀롯, 야생 고양이 자가란디가 있어.

- 고함원숭이는 진짜 고함을 질러요?

- '짖는원숭이'라고도 불러. 목구멍에 큰 공기주머니가 있어 숲에 울려 퍼질 정도로 멀리까지 높은 소리를 낸다고 해서 '고함원숭이'인데, 나무와 나무를 건너뛰는 습성이 있어. 그런데 난개발로 인해 나무들이 베어지면서 원숭이들이 나무 대신 전깃줄을 잡고

이동하다가 감전되어 많이 죽는 바람에 멸종 위기에 몰렸어. 심지어 아기 원숭이를 업고 건너는 엄마 원숭이도 있었어.

- 너무 가슴 아픈 일이에요. 대책을 마련해주었으면 좋겠어요. - 여기에는 새들도 많이 살아. 500여 종이나 되지. 금강앵무는 세계에서 가장 큰 앵무새인데 꼬리가 길고 색상이 화려해 사람들이 금방 마음을 빼앗기는 종류야. 그밖에 볏봉관조, 상오리, 붉은도요타조, 잔점배무늬메추라기, 진홍저어새, 뱀매, 따오기, 검은머리황새 등도 살고. … 5,000종의 나비도 살아. 보기만 해도 눈이 번쩍 뜨이게 사랑스럽지.

- 코스타리카는 참 부러운 나라예요. 행복지수도 높고. 우리나라처럼 경쟁이 치열할 것 같지도 않고.

- 어쩌지? 2012년 9월5일 코스타리카 오한차에서 북동쪽으로 10킬로미터 떨어진 지점에 진도 7. 6의 지진이 발생해 2명이 사망하고 쓰나미 경보가 내려진 적이 있거든.

- 좋다가 말았어요. 그래도 여행하는 거야 괜찮겠지요?

- 그럼. 마지막으로 '오렌지 껍질로 불에 탄 숲 살리기' 프로젝트를 말해야겠구나. 생태학자 부부가 황량한 숲을 되살릴 계획으로 주스 업체에 음식물쓰레기인 오렌지 껍질을 버려달라고 부탁한 거야. 그래서 1년에 약 1만 2천 톤가량의 껍질을 버렸는데, 소송으로 인해 프로젝트가 중단되었어. 그런데 10년 만에 다시 가보니 풀만 자란 것이 아니라 2미터 높이의 나무들도 자란 녹색 정글로 변해버렸다는, 숲 재생 이야기지.

- 다시 시도해 볼 만하네요.

42. 코코스섬 국립공원 (코스타리카) : 쥐라기 공원의 무대

- 가자, 코코스로!
- 코코스는 코코야자라는 뜻으로 코코 야자나무가 열매가 많아서 붙여진 이름이야. 17세기에 수입되었는데 돼지, 염소, 커피, 염소도 같이 들어왔어. 그런데 코코스라는 이름이 붙은 곳은 세 군데야. 먼저 코스타리카에 있는 코코스 국립공원, 1997년에 세계자연유산으로 등재된 곳이 있고, 다음은 괌섬에서 2킬로미터 떨어진 곳에 있고, 코코새들의 천국인 코코섬이 있어. 그리고 마지막으로 인도양 동쪽 호주령, 산호초섬인 코코스킬링제도가 있어. 어디로 갈까?
- 방황하지 말고 코스타리카 코코스 국립공원, 세계자연유산으로 등재된 곳으로 가요. 거기에 가면 보물이 있다는 말도 들었어요.
- 이 섬은 1526년에 스페인인 후안 카베샤즈가 발견했는데, 아메리카 대륙이 발견되기 전의 흔적은 남아 있지 않아. 섬의 위치가 애매해서 찾기가 힘들어서 그랬나. 코스타리카 태평양 연안에서 550킬로미터나 떨어져 있어 그랬나. 아무튼 열대우림과 습지가 있는 열대 동부 태평양지역에 하나밖에 없는 이 섬은 무역상이나 해적 등이 조난되었을 때가 아니면 눈에 잘 띄지 않았어. 혹시 보물섬이라는 소설 알아? 아빠가 어렸을 때 너무 좋아했던 소설인데.
- 아니요. 쥐라기 공원은 알지만.
- 참 마이클 클라이튼의 소설 '쥐라기 공원'에 나오는 이슬라 누블라, 이슬라 소르나 등 죽음의 5도의 무대가 된 곳이 바로 여기라는 사실.

- 아, 빨리 좀 말해주지 그랬어요.

- 1883년 출판된 소설 보물섬은 로버트 루이스 스티븐슨이 쓴 소설인데 전 세계적으로 폭발적인 인기를 누렸어. 실제 보물섬인 코코스섬에 엄청난 보물이 묻혀있다는 소문을 배경으로 썼기 때문이지. 사연인즉 그랬어. 16세기 스페인은 페루를 점령하고 약탈했던 보물을 수도인 리마에 모아두었는데 페루혁명으로 인해 보물을 옮겨야 했어. 그런데 윌리엄 톰슨 선장의 개인 선박 말고는 방법이 없었어. 선장은 어떻게 했을까?

- 혼자 독차지하려고 했겠지요.

- 그래. 선장은 코코스섬에 보물을 묻고 선원들을 죽인 후 지도에 자세하게 기록을 남겼지. 그리고 스페인에 가서는 배가 난파되어 선원들이 모두 죽었다고 보고했고. 그런데 죽은 선원의 시체가 바다에 떠오르면서 톰슨은 감옥에 갇혀 사형선고를 받았어. 보물지도는 친구인 존 키딩에게 전해졌고.

- 결국 보물을 찾았나요?

- 찾았는데 보물이 더 많이 있다고 알려지면서 약 150년 동안 수백 명의 보물 사냥꾼이 그 섬을 찾았지. 섬 곳곳을 파헤치고 다이너마이트를 터트려 파괴했지. 보다 못한 코스타리카 정부는 1970년, 섬을 보호하기 위해 30년간 출입을 봉쇄했어. 그 덕분에 수려한 자연 그대로의 경관은 유네스코 자연유산이 되었지.

- 지금은 누가 살아요?

- 원래 무인도였는데 지금은 공원 감시인이 있고, 마약퇴치작전 때문에 1999년부터 미군이 주둔하고 있지.

- 그 이후 보물을 발견한 사람이 있어요?

- 소문은 소문일 뿐이었어. 보물을 발견했다는 사람은 없었어. 발견하고도 말하지 않은 사람이 있을 수 있지만. 그런데 우리나라 예능 TV 프로그램에서도 거기 간 적이 있어. 보물을 찾으러 갔는지 참다랑어와 돌고래, 상어, 가오리 떼를 볼 최적의 다이빙 장소에 갔는지 모르지만.

- 좋은 다이빙 장소가 많은가 봐요.

- 일단 섬 지형을 먼저 이야기해 줄게. 현무암으로 이루어진 화산섬이라 지세가 험한 산악지형으로 강과 하천을 많이 끼고 있는데 절벽으로 쏟아지는 폭포가 볼 만해. 해안에도 수직으로 솟아 있는 200미터 절벽이 버티고 있어 모래사장이 있는 두 군데(바이아와페르, 바이아차탐)가 아니면 접근하기 힘들어.

- 이제 다이빙 이야기가 나오는가요?

- 응. 세계적으로 아름다운 수중 세계를 만들어진 것은 코코스섬과 해양 생태계가 북부 적도 반류가 만나는 첫 기점이기 때문일 거야. 다이빙 장소는 코코스섬 주변에 흩어진 작은 섬과 관련되어 있어. 우기 때에는 그린 잭 같은 작은 물고기 수천 마리가 큰 물고기를 위협하고 혼동을 주기 위해 커다란 원을 그리는 베이트 볼(Bait ball)을 볼 수 있어. 군함새나 부비가 다이빙하며 사냥하는 것도 볼 수 있고. 물속에서는 상어, 돌고래, 참치가 뒤엉키는 데 그야말로 장관이라고 하네.

- 베이트 볼을 만든다고 상어가 도망가나요?

- 글쎄, 오히려 눈에 띄어 잡아먹힐 것 같기도 하고. 살기 위해 발

버둥 치는 작은 물고기들의 거대한 몸부림이 아닐까?

- 제 생각도 그래요. 다른 식물이나 물고기들은 없어요?

- 강우량이 많아 자생식물이 울창하게 자라지만, 육지 부근의 섬에 비해 식물 종은 다양하지 않아. 대신 바다 생물이 다양하게 살고 있지. 그리고 무서운 상어도 득실득실하지. 포악하기로 이름난 귀상어(해머헤드샤크), 청소 구역에서 느긋하게 자기 몸을 새우들에게 맡겨 기생충을 떼어내도록 하는 백기흉상어(화이트팁샤크)와 실버팁샤크도 볼 수 있지. 그밖에 미흑점상어(실키샤크), 고래상어가 살고, 병코돌고래 군락이 있어.

- 만타가오리도 살지 않아요?

- 막 이야기하려는 참이야. 대왕쥐가오리(만타레이), 마블레이, 돛새치, 캘리포니아 바다사자(캘리포니아 강치), 곰치, 바버피쉬, 킹엔젤피쉬, 잭피쉬, 세일피쉬, 참치도 살지.

- 너무 많아 기억하기 힘들어요.

- 그렇지? 조금만 참아주렴. 이제 다 되어가니까. 푸른바다거북, 올리브각시바다거북, 문어도 살아. 참, 갓 태어난 백기흉상어를 볼 수도 있어. '몰라몰라'도 볼 수 있고.

- 뭐를 몰라요, 제가?

- 그게 아니고. 우리 바다가 품은 온갖 이야기 때 공부했잖아. 그 이름도 무서운 개복치!

- 아, 생각나요. 해파리를 잡아먹는 개복치, 거친 피부로 기생충을 막는 '바다의 의사' 개복치.

- 산호초지대는 없어요?

- 있지. 중요한 산호초지대는 푼타 마리아, 푼타 파체코, 푼타 프레시디오, 이글레시아스 일부, 차탐만과 와페르만에 있어. 섬 주변 바닷속은 계단식 비탈로 되어 있는데 '둘레초'라는 것이 물에 얕게 잠겨 있고, 수백 미터 깊이 도랑에는 산호 무더기와 모래가 쌓여 있어.
- 새들에 대해 알아보지 않았네요.
- 87종의 조류가 산다고 하는데 고유종에 코코스섬딱새, 코코스섬뻐꾸기, 코코스섬피리새가 있고, 흰제비갈매기, 검은제비갈매기, 붉은발얼가니새, 갈색얼가니새, 큰군함새가 살아.

43. 갈라파고스제도 (에콰도르) 생물진화의 야외실험장

- 원숭이 엉덩이가 과연 빨개?
- 진짜 빨개요. 어릴 때 배운 동요가 생각나요.
- 갈라파고스에 사는 군함새 수컷이 암컷을 유혹하기 위해 빨간 풍선 같은 것을 부풀리는 것이 생각나서. …푸른발부비도 사는데 짝짓기 철이 되면 수컷은 암컷에게 푸른 발을 들어 보이며 날개를 펼치는 춤을 춰. 그 우아하고 멋진 발을 봐야 하는데.
- 부비새라면 얼가니새를 말하네요. 멍때리다 잡힌다는.
- 맞아. 검은 피부색을 녹색이나 빨강으로 바꾸는 페르난디나섬의 바다이구아나는 어떻고.
- 바다이구아나도 있어요?

- 갈라파고스 육지이구아나가 있고, 바다이구아나가 있는데 조상은 같아. 도마뱀이나 악어처럼 무섭고 징그럽게 생겼는데 성질도 온순하고. 먹는 것이 선인장이냐 해초냐가 다르겠지.
- 헤엄을 치는 것도 다르겠지요?
- 그래. 그런데 말입니다. 갈라파고스 바위에 대략 20~30만 마리의 바다이구아나가 세계에서 하나밖에 없는 수생 파충류라는 거야.
- 진짜요? 다른 수생 파충류는 없어요.
- 응. 그런데 말이야. 2001년 유조선 '제시카'에서 유출된 기름으로 많은 바다이구아나가 죽었어.
- 어쩌면 좋아요. 갈라파고스섬에 대해 좀 더 알아야겠어요.
- 찰스 다윈 하면 진화론, 진화론 하면 갈라파고스제도라고 할 정도로 유명한 곳이야. 20개의 섬과 암초로 이루어져 있는데 '살아 있는 자연사 박물관'이라고도 해. 1835년 찰스 다윈이 비글호를 타고 와서 9월에서 10월에 걸쳐, 약 5주 동안 머물렀던 섬인데, 이곳에서 동식물 채집과 관찰을 하면서 진화설의 기초를 다졌다고 해. <종의 기원>은 24년 후에 나왔으니까.
- 진화론적인 섬이네요. 처음에 이 섬을 누가 발견했어요?
- 음, 1535년 무렵 스페인의 주교였던 토마스 데 베를랑가야. 그때는 사람이 살지 않고 아주 큰 갈라파고스코끼리거북이 살고 있었는데 거북의 등딱지 모양이 꼭 말을 탈 때 사람이 앉는 안장과 비슷해서 갈라파고스로 불리게 되었다고 해. '갈라파고'가 스페인어로 '안장'이거든.

- 아하, 그래서 갈라파고스라고 부르는구나.

- 지금도 여전히 갈라파고스코끼리거북은 섬을 상징하는 동물이야. 섬마다 등딱지 모양이 다르고, 다른 지역에는 살지 않는 거북이거든. 스페인 탐험가들이 처음 섬에 들어왔을 때는 25만 마리 정도가 살았어. 그런데 느려서 도망도 못 가니 사람들이 마구잡이로 잡아서 거의 멸종 상태에 이르렀어.

- 누가 그렇게 잡아먹었어요?

- 17세기에는 관군에 쫓기던 해적들이 몰래 숨어들어 잡아먹었어. 몸무게가 250킬로그램이나 나가니까 한 마리만 잡아도 100명이 먹을 수 있었으니까. 배에도 싣고 다니며 잡아먹었어. 이 거북은 먹을 것이 없어도 오랫동안 살 수 있으니까. 그 뒤로 고래잡이들도 잡아먹었을 거야. <백경>이라는 유명한 소설을 쓴 허먼 멜빌은 이곳에서 영감을 얻었거든.

- 살아있는 것이 용하네요.

- 그렇지. 찰스 다윈도 그 고기 맛을 보았다는 말은 하지 않을게. 그래도 1934년 이후 동물 보호구역으로 지정해서 보존한 덕분에 1만 5천 마리 정도가 남았어. 1964년부터는 산타크루즈섬 다윈연구소에서 갈라파고스코끼리거북 복원프로그램을 진행 중이니 멸종되는 일은 없을 거야.

- 갈라파고스섬에 대해 더 좀 알고 싶어요.

- 이 제도는 화산활동으로 생긴 화산섬이야. 마그마가 나오는 구멍인 '핫 스폿'이 바다 밑에 있고, 거기서 뿜어져 나온 용암이 굳어 섬이 되었거든. 경치가 꼭 달처럼 생긴 바르톨로메섬이나 파회회라

는 용암평야가 있는 산티아고섬, 파도가 공중 30미터까지 물을 뿜어 올리는 블로홀이 있는 후드섬 등이 그걸 말해주고 있어. 아직 활동 중인 섬도 있어. 2005년 5월에도 페르난디나섬 라쿰브레 화산이 분화했거든.

- 분화하는 곳은 가기도 겁나겠어요.

- 응. 좀 더 들어줘. 이곳은 4개의 해류가 만나는 지점에 있어 영양분이 많아. 플랑크톤도 많이 살고. 쉽게 말해 난류와 한류가 만나는 곳이지. 크롬웰해류, 훔볼트해류, 북적도해류, 파나마해류. 그래서 도마뱀붙이, 용암 도마뱀, 육지이구아나 같은 열대 동물과 키가 35센티미터밖에 안 되는 갈라파고스펭귄이 같이 살고 있어.

- 열대 동물이 추운 곳에 사는 펭귄과 같이 산다구요?

- 응. 맞아. 여기는 적도에 위치하면서도 훔볼트해류가 흘러 심해에서 차가운 물이 상승하거든. 덕분에 바닷물 온도가 15℃ 이하로 낮아 산호초나 야자수도 자라기 어려워.

- 다른 동물들도 살고 있겠군요.

- 일단 섬에 내리면 놀라운 광경을 보게 돼. 선착장, 해변을 가리지 않고 잠을 자는 바다사자, 사람을 무서워하지 않는 이구아나, 춤추는 부비새가 눈에 들어오지.

- 부비새라고 하니 자꾸 누가 부비는 것 같아 징그러워요.

- 흐흐. 바르톨로메나 플로레아나섬 해안에 가면 알을 낳는 초록바다거북을 만날지도 몰라. 모스케라섬에 가면 엘리뇨로 고통받는 갈라파고스 강치들을 볼지 모르고. 날지 못하는 가마우지여서 위험에 처한 갈라파고스 가마우지를 볼 수 있고.

- 다들 갈라파고스가 붙어요.

- 여기는 갈라파고스니까. 다음 후드섬 가르데네르만에 가면 알바트로스 1만 쌍이 있을 거야. 산크리스토발섬에는 갈라파고스코끼리거북, 바다이구아나, 육지이구아나… 또 헤노베사섬에 가면 사는 곳이나 먹이에 따라 깃털과 부리가 달라진 다윈방울새(Darwin's finch)가 눈에 들어오지.

- 다윈방울새요?

- 응. 이 새들이 13종인데 말이야. 다윈이 진화론을 발전시키는 데 결정적인 역할을 했거든. 이곳은 고유종 비율이, 포유류, 조류, 파충류는 80% 이상이고, 고등식물은 40% 전후야. 에콰도르 해안으로부터 자그마치 1,000킬로미터나 떨어진 이곳에 어떻게 갈라파고스만의 고유하고 독특한 동식물이 있을 수 있나 궁금해지지?

- 그래서 생물진화의 야외실험장이라는 말들을 할까요?

- 그렇지. 진화가 아니고는 설명할 수 없으니까.

- 처음부터 고유종이 거기 살았을 수도 있잖아요.

- 아니야. 남미에 갈라파고스 고유종과 가까운 동식물이 사는 것을 보면, 애초부터 갈라파고스에 특별한 종이 있었던 것 같지는 않아. 그러면 무슨 일이 있었을까?

- 아, 긴장되는데요.

- 아마도 200만 년~300만 년 전, 지금은 해수면이 높아져서 바다에 잠겨버린 섬을 따라 - 그때는 육지였지, 조상 종이 도착했을 거야. 이후 갈라파고스라는 환경에 맞게 진화했을 것이고. 찰스 다

윈의 <종의 기원>에 쓴 것처럼, 모든 종은 지속적으로 조금씩 진화하고, 유기체의 후손은 공통의 조상이 있지.

- 섬에 주민들이 살고 있어요?

- 19개의 섬 중에 6개의 섬에만 살고 있어. 주도인 산크리스토발섬, 가장 큰 섬 이사벨라섬, 산타크루즈섬, 플로레아나섬, 발트라섬, 핀타섬. 70년 전만 해도 1,000여 명 정도였는데 지금은 관광지가 되면서 3만 명이 넘게 살고 있어. 걱정스러워. 거기에다가 정부에서는 섬에 거주하는 것을 장려하고 있으니. …그런데 갈라파고스에 내리면 주의할 게 있어.

- 아마 환경을 보호하려는 것이겠지요.

- 관광객들은 아직 인간에 대한 두려움을 모르는 동물들을 놀라게 해서는 안 돼. 매우 엄격한 규정이 있는데 말이야. 국립공원에 등록된 가이드가 옆에 붙어있지 않으면 절대 배에서 내릴 수 없어. 중간에 고무보트를 타고 갈 수도 있지만, 일단 배에서 내리면 정해진 길을 벗어나서는 안 돼.

- 별로 어려운 게 아닌데요. 사고는 늘 하지 말라는 것을 기어이 하는 사람에게나 일어나지요.

- 그래도 조심하는 것이 중요해. 사고는 우연히, 예상치 못한 곳에서도 일어나거든. 돌이킬 수 없는 경우가 많고, 이 삶은 한 번뿐인 소중한 것.

- 네, 아빠.

- 이 세상은 인간이 감당할 수 없는, 불가항력적인, 원인을 알 수 없는 일들이 수시로 일어나는-.

- 네, 아빠. 물속에도 많은 동물이 살지요?

- 그래서 스쿠버다이빙이 인기가 많은데 아무래도 물속에 들어가면 볼 것이 더 많지. 다른 바다에 비해 좀 춥고 시야도 좋지 않지만, 대형 어류와 다양한 어종을 만날 수 있어. 바다거북이, 바다사자, 백기흉상어, 꼬치고기 속 어류 바라쿠다 떼, 이글레이(얼룩매가오리), 귀상어에다 운이 따르면 개복치도 볼 수 있어.

- 아, 개복치!

44. 레비야히헤도제도 (멕시코) 북미의 갈라파고스

- 이제 혹등고래 노랫소리를 들으러 가볼까.

- 진짜 들을 수 있어요?

- 새끼를 부르는 어미 혹등고래 노랫소리를 들었는데 그것은 어미 소의 음매 소리 같기도 하고, 날벌레의 노랫소리, 장난치는 원숭이 소리와 닮았어. 주로 겨울철에 혹등고래가 노래를 부르는데 많이 올 때는 2,000마리까지 섬을 찾아오기도 해.

- 어서 레비야히헤도제도로 가요.

- 이 섬은 멕시코 바하칼리포르니아 반도, 카보산루카스에서 390킬로미터 떨어진 곳에 있어. 육지에서 멀리 떨어져 있으니 사람의 흔적이 없어 자연 그대로의 모습으로 남아 있어. 소코로섬, 산베네딕토섬, 클라리온섬, 로카파르티다섬, 모두 4개의 화산섬과 부근 바다로 구성되어 있어.

- 섬 풍경은 어때요?

- 네 개의 섬은 '빙산의 일각'이라는 말처럼 섬 아랫부분이 바닷속에 잠겨 있어. 깨끗한 바닷물 속에는 쥐가오리나 돌고래, 상어, 수많은 물고기가 살고 있지. 이 중 눈여겨볼 것은 섬 주변에 몰려들어 희한한 방식으로 다이버들과 소통하는 쥐가오리일 거야.

- 바닷물 속이 깊은가 봐요.

- 수중 바다 풍경은 4,000미터 정도의 심해 평야에 용왕님의 용궁이 있고 신하들이 함께 살고 있다 싶을 정도로 맑고 깨끗해. 아니 수정궁이 있다고 생각될 정도로 경외감이 들지.

- 부근에 고기들도 많이 살아요?

- 그렇지. 백성들이 없을 수 없지. 가오리 떼, 고래 떼, 거북이 떼, 무서운 상어 떼. 다른 고기들도 사는데 고유종이거나 고유종에 가까워. 육지에서도 마찬가지야. 도마뱀이나 뱀, 조류, 식물 33종이 고유종이야. 좀 더 자세히 말하면, 이곳은 소코로비둘기, 소코로흉내지빠귀, 소코로 굴뚝새, 클라리온 굴뚝새들의 고향이야. 아마도 육지에서 멀리 떨어져 진화를 거듭해 온 결과가 아닐까 싶어.

- 구체적으로 어떤 고기들이 살아요?

- 바다거북이나 해표, 회유어류도 있지만 최대 6미터 크기의 쥐가오리가 집중적으로 모여 유명하지. 얼가니새, 푸른얼굴얼가니새, 갈색얼가니새, 푸른발부비, 붉은부리열대조, 미국군함조도 살고. 멸종위기에 처한 타운센드슴새가 살고 있는 유일한 곳이기도 하지.

- 얼가니가 많아요? 부비새가 많아요?

- 잊은 모양이구나. 얼가니새나 부비새나 같은 거야. 선원들이 잡

으려고 다가가도 멍때리고 있다가 잡아먹혀 멸종 위기에 처해 있다는 새.

- 이제 생각났어요.

- 섬이 육지에서 멀리 떨어져 원시 상태가 유지되어서 고유종이 많아. 그런데 말이야. 다양한 동식물이 모여 살게 된 것은 해류의 영향 덕분이야. 따뜻한 북적도해류와 수온이 낮은 캘리포니아해류가 섞이는 지점에 있어 다양하고 독특한 해양생물이 살고 있지. 저번에도 말했지만, 서로 다른 해류가 만나면 영양염류나 플랑크톤이 풍부해지니까.

- 일단 소코로섬으로 가 봐요.

- 네 개의 섬 중에 가장 높은 섬, 해발고도 1,130미터에 에버만 화산이 솟아 있는데 1957년 이후부터 해군기지가 건설되어 45명 정도의 사람이 살고 있지. 1533년 스페인 탐험가 헤르난도 데 그리야발 일행이 처음 발견했고, 후에 섬을 발견한 사람들이 '도움'을 의미하는 '소코로Socorro'라는 이름을 붙였다는 이야기.

- 다른 섬들에 대해서도 말해주세요.

- 클라리온 섬은 4개의 섬 중 2번째로 크고, 멕시코 본토에서 가장 먼 곳에 있어. 해안의 일부, 해군기지가 있는 곳을 제외하고는 대부분의 해변이 24~183미터 높이의 절벽으로 되어 있어.

- 산베네딕토섬은요?

- 산베네딕토섬은 사람이 살지 않고, 면적이 세 번째로 큰 화산섬이야. 1993년 화산이 분출한 것이 마지막이었지. 섬 북쪽 풀밭에 낮은 초목들이 자라고 용암지대에는 선인장이 자라고 있어. 여기가

바로, 세계적으로 유명한 쥐가오리 고향으로 알려져 있지. 쥐가오리의 기생충을 먹고 사는 클라리온 엔젤피쉬가 사는 곳이기도 하고. 달리 말하면 엔젤피쉬로부터 청소를 받기 위해 쥐가오리가 모이는 클리닝스테이션, 청소구역이지.

- 로카 파르티다섬은요?

- 로카 파르티다섬도 사람이 살지 않는 가장 작은 바위섬이야. 바닷속에 다이빙하면 캘리포니아 가시랍스터 무리들, 낮 시간 동안 쉬고 있는 백기흉상어 새끼를 볼 수 있어. 갈라파고스상어, 실키샤크, 대왕쥐가오리, 큰돌고래, 다랑어도 사는데 재수가 좋으면 고래상어나 알래스카에서 찾아온 혹등고래를 볼 수도 있지.

- 유산을 보호하는 데 어려움은 없나요?

- 외래종이 생태계에 침입해서 훼손된 부분이 있지만 걱정할 정도는 아니야. 소코로섬의 고양이는 현격히 줄어들었고, 돼지와 양은 박멸되었어. 특이한 것은 쥐가 한 번도 반입된 적이 없다는 거야. 멕시코 정부에서도 허가 없이 보트가 섬에 상륙할 수 없도록 금지하고 있고, 스킨스쿠버 다이빙용 보트도 일정 수만 허가를 내주고 있어.

45. 엘 비스카이노 고래 보호지역 (멕시코) : 귀신고래 만나는 곳

- 이제 고래나 잡으러 가볼까?

- 제가 나이가 얼만데 고래를 잡으러 가요. 태어날 때 벌써 잡았

다고요.

- 아, 그 고래 말고, 귀신고래, 다른 말로 쇠고래 잡으러 멕시코 바하칼리포르니아 반도 중간에 있는 고래 보호지역에 가보자는 거지. 산 이그나시오 호수, '산토끼의 눈'이라는 뜻의 오호 데 리에브레 호수에 가보자. 게레로 네그로라는 작은 어촌 마을로 가면 돼.

- 진짜 고래를 볼 수 있어요?

- 그래, 고래를 볼 수 있는 곳은 많지만 아주 가까이에서 크고 까만 고래 눈을 보고 쓰다듬을 수 있는 곳은 바로 여기뿐이야. 거기에는 겨울마다 고래를 보려는 사람들로 북적이는 곳이야.

- 귀신고래를 만질 수 있다고요? 도망가지 않아요?

- 귀신고래는 암초가 많은 해안가에 사는데 귀신같이 나타난다고 해서 귀신고래야. 우리나라에도 나타난 적이 있는 멸종위기종인데 평생 한 번 보는 것도 어려워. 천연기념물 126호로 지정되어 있어.

- 멸종위기종 아닌가요?

- 멸종 위기가 있었지만, 1937년부터 미국 정부에서 보호하기 시작하면서 3만 마리 정도가 되었어. 1994년에는 멸종위기종에서 해제되었고. 그런데 우리나라에 나타나는 귀신고래와 달리, 알래스카에서 미국 서해안을 지나 멕시코에 도착해서 새끼를 낳고 키우는 귀신고래는 물속에서 30분이나 있지만 호기심도 많아. 배를 발견하면 가까이 다가가서 사람들을 구경하는 거야. 덕분에 배에 탄 사람들은 조심스럽게 고래에게 말을 걸고 쓰다듬을 수 있는 거지.

- 귀신고래, 참 듣고 보니 특이한 고래네요.

- 그렇지. 과거에 포경이 성행하던 때는 선원들을 공격하기도 했는데 실은 호기심 많고 온순해. 단지 새끼를 키울 때 걸리면 가만 안 두는 거지. 귀신고래는 길이 15미터에 500킬로그램까지 자라는데 바다 밑을 훑어 플랑크톤, 바다새우, 해삼, 물고기알 같은 것을 먹고 사는 바람에 바닷물 속 유기물이나 영양분이 뒤섞어줘 '바다의 농부'라는 별명이 있어.

- 알래스카에 사는 귀신고래가 멕시코까지 내려오는 거네요?

- 응. 알래스카가 너무 추워지면 이동을 시작하는데 2만 킬로미터를 쉬지 않고 이동해, 따뜻하고 염도가 높은 오호 데 리에브레 호수에 도착하는 거지. 염도가 높아야 새끼들이 위로 떠오르기 좋으니까. 12월 중순이면 이미 한두 마리가 보여. 이 고래들은 여기서 짝짓기를 해 새끼를 낳아. 그러니까 여기가 바로 전 세계 귀신고래 절반의 고향인 셈이지.

- 언제 알래스카에 돌아가요?

- 겨울을 보내고 새끼들과 함께 알래스카로 돌아가는 때는 대략 4월 중순쯤이야. 걱정스러운 것은 과연 새끼 고래가 범고래를 피해 잘 도착할 수 있을까 하는 거지. 범고래는 귀신고래와 혹등고래 새끼를 아주 좋아하거든. 자, 우리도 고래를 보러 가보자.

- 가자, 오호 데 리에브레로!

- 호수는 육지로 해안선이 들어와 있는, 입구가 좁은 만의 모양이야. 크기는 여의도 면적의 10배가 넘는데, 모래언덕이 막아주어 안쪽은 파도가 없고 조용해.

- 우와, 고래를 볼 수 있다니.

- 배에 타기 전에 주의할 사항이 있어. 고래가 다가올 때까지 기다려야 하고, 시끄럽게 큰소리를 질러도 안 돼. 무엇을 주어도 안되고, 고래 만진다고 배 한 쪽으로 몰려들면 안 돼. 그러면 어떻게 될까요?

- 정답, 배가 뒤집어져요.

- 맞아, 저기 봐! 귀신고래가 물을 뿜고 있어. 멕시코는 1949년부터 고래 생태계를 방해하거나 상업 포경을 금지하고 있어. 여기에는 귀신고래만이 아니라 대왕고래, 혹등고래, 잔점박이물범, 북방코끼리바다표범, 캘리포니아 강치도 살고 있어. 멸종위기종인 바다거북도 3종이나 살고 있고. 초록 바다거북, 대모거북, 가장 작은 바다거북인 올리브리들리바다거북.

- 대왕고래가 제일 크지 않아요?

- 맞아. 흰수염고래라고도 하는데 길이가 24미터, 몸무게가 90톤. 살아있는 동물 중 가장 크지.

- 고래잡이를 금지하는 곳은 어디인가요?

- 고래잡이 국가들이 고래의 적정한 보존을 위해 1946년에 결성한 국제포경위원회, 영어 약자로 IWC야. 1986년 고래관광 필요성도 있던 차에 갑자기 고래가 급감한 것을 알게 되자, 개체수가 회복될 때까지 포경을 금지하기로 했어. 흰수염고래, 밍크고래, 향유고래 등 멸종 위기에 놓인 12종의 고래에 대한 상업적 포경을 금지한 거지.

- 아예 잡을 수 없게 된 거예요?

- 그건 아니야. 과학 연구 목적이나 토착민 생계유지의 포경은 허

용해 주었지. 그래서 일본은 회원국이면서도 연구 목적으로 많은 고래를 잡았던 거고.

- 우리나라는 언제 가입했어요?

- 현재 한국에서는 고래잡이가 불법이야. 1978년에 가입했으니까. 단지 그물에 잡혀 올라온 고래는 팔 수 있어. 지금 포경을 반대하는 나라는 미국과 호주 뉴질랜드야. 노르웨이, 아이슬란드는 회원국이지만 여전히 상업 포경을 하고 있어. 캐나다는 IWC 탈퇴 후 원주민 생존 포경을 하고 있고. 일본도 2019년 7월에 IWC 탈퇴하고 상업적 포경을 시작했어.

- 우리나라는 어느 쪽에 서 있어요?

- 말하기 곤란해. 매년 고래 축제를 여는 울산 장생포, 포항 등 어업인들이 포경 허용을 요구하고 있어. 고래 한 마리 잡는 것은 로또복권 당첨에 비유될 정도니까. 어느 쪽이든 쉽지 않지만, 그린피스에서는 고래가 기후 위기에서 우리를 보호해 주고 있다고 말하고 있어.

- 어떤 내용인데요?

- 거북이만큼 오래 사는 고래가 일생 동안 이산화탄소를 흡수하니 숲이나 다름없고, 고래의 똥은 바다를 비옥하게 하는 비료이고, 깊은 바닷속과 수면을 오가며 생태계를 순환시키며, 고래가 죽으면 이산화탄소를 가둔 하나의 생태계가 된다는 말씀이지.

- 과연 고래가 없으면 바다는 제 역할을 못 하고 약해질 것 같아요.

- 오호 데 리에브레 호수는 산 세바스티안 사막으로 이어지는데,

여기가 보호지역의 심장부야. 여기 세계에서 가장 큰 선인장, 타워링 카르돈 선인장이 거대한 기념탑처럼 서 있어. 참고로, 카르돈 선인장은 15미터까지 자라는데 수명은 200년이나 돼.

– 우와, 어마어마해요. 다른 동물들도 살지요?

– 포유류나 양서류, 조류들이 살아. 물수리, 검독수리, 코끼리바다표범, 아프리카프롱혼(베렌도).

– 그런데 아빠! 고래 보호지역에 관광객이 몰리면 어떻게 해요? 그건 보호가 아닌데.

– 되도록 안 가는 게 좋을까?

46. 캘리포니아만의 섬과 보호지역 (멕시코) 위험에 처한 세계자연유산 : 사랑스러운 바키타

– 이제 캘리포니아만으로 가보자. 인환이는 캘리포니아만을 생각하면 뭐가 생각나니? 나는 캘리포니아라는 말만 들어도 이글스의 노래 '호텔캘리포니아'가 생각나. 노래를 들으면 가만있을 수 없거든. 가사도 마음에 들어. 미국 사회에 대한 성찰과 아메리칸드림의 공허에 대한 내용이거든.

– 저는 캘리포니아주 산불이 떠올라요. 산불의 원인은 모르지만 유독 여기에서만 산불이 많이 일어난대요. 인명피해도 많지만 어떻게 산불이 한 달이나 넘게 탈 수 있는지 무섭기도 하고, 신기하기도 해요.

- 캘리포니아주는 미국에서 가장 많은 사람이 살아. 샌프란시스코, LA, 샌디에이고 같은 도시가 있는데 여름에는 고온건조하고 겨울에는 온난 습윤한 지중해성 기후야. 산불이 발생하는 조건은 우리나라 동해안 산불이 일어날 때의 겨울 날씨처럼 나뭇잎이 부딪히기만 해도 불이 일어날 정도의 건조한 날씨 탓일 거야. 2021년 한 해에만, 작은 산불까지 7,099번 일어나 서울시의 10배나 되는 면적을 태웠어. 그런데 대형 산불이 한 번 일어나면 어마어마한 탄소를 배출하고 지구 기온이 상승하면서 더 산불이 잘 일어나는 조건을 만들게 된다는 아이러니.

- 그런데 우리가 가는 곳은 미국 캘리포니아주 아래 남으로 뾰족하니 길게 튀어나온 반도의 안쪽이야. '캘리포니아만'이라고 하는데 에스파냐 정복자 이름을 따서 '코르테스 해'라고 부르기도 해. 캘리포니아반도와 소노라주, 시날로아주 사이에 위치하는 곳이야. 이름은 캘리포니아만이지만 원래는 멕시코 땅이었어. 미국-멕시코 전쟁 때 미국에 빼앗겼지만. 만의 입구에서 안쪽으로 들어가면 바다 깊이는 점점 얕아져. 그 안에 티부론, 산호세, 세랄보, 앙헬델라과르다 등의 섬이 있는데 244개의 섬과 해안이 세계유산이야.

- 코르테스는 영웅이었나요?

- 코르테스는 캘리포니아반도를 발견하고, 아즈텍왕국을 정복한 에스파냐의 정복자야. 생전에는 에스파냐 영토와 기독교 세력을 넓혀 영웅으로 추대받기도 했어.

- 지금은 어떤 평가를 받고 있어요?

- 멕시코가 독립하고 민족주의가 대두되면서 사회 분위기가 달라

졌지. 유럽 제국주의를 비판하는 쪽으로 바뀌었어. 영웅 코르테스는 수천 년간 지속된 문명을 파괴한 침략자로 바뀌었어. 지나치게 폭력적이고 잔인한 행동으로 후세에 씻을 수 없는 후유증을 남긴 살인마가 되었지.

- 무서워요. …이곳의 어떤 점이 등재 기준에 있어 좋은 평가를 받았어요?

- 여기는 바닷물이 투명해서 거의 파랗게 보일 정도야. 곳곳에 있는 섬들은 높은 절벽이 에워싸고 있고 고운 모래사장이 바닷물을 맞이하지. 일단 다른 곳에 비해 많은 어종이 살아. 해양 포유류 종 수의 39%, 전 세계의 고래 종의 1/3이 살고 있으니까. 그뿐 아니야. 가장 많은 종류의 유관속 식물이 여기 살고 있어. 다른 해양과 섬에 사는 것보다 많아. 사막도 마찬가지야. 생물다양성 수준에서만 보면 소노라 사막과 비견될 정도로 많은 생물이 살아. 해양생물 연구를 위한 천연실험실이지.

- 유관속 식물은 뭔가요?

- 물관과 체관이 있고, 형성층이 있는 관다발식물이야. 쉽게 말해 줄기가 있는 식물이야.

- 네! 그렇군요. 맑고 깨끗한 바다에 다양한 동식물이 살고 경치가 아름다운 곳, 세계의 수족관이네요.

- 맞아. 해류 덕분에 햇빛이나 영양분이 풍부해. 플랑크톤이 많이 살고 다양한 어종들이 사는 거지. 또 여기는 세계에서 조수간만의 차이가 가장 큰 곳에 속해. 캘리포니아만 북쪽에서는 해수면의 차이가 9미터나 된다니까. 그런데 말이야. 많은 생물의 개체수가 줄

어들고 있어.

- 그래요? 어떤 생물이 줄어들고 있어요?

- 캘리포니아만은 좁지만 생태계가 풍부해. 범고래, 캘리포니아 회색고래, 혹등고래가 살아. 지구상에 존재했던 가장 큰 동물인 대왕고래(청고래), 긴수염고래, 향유고래도 살고. 엘 비스카이노 고래보호구역처럼. 장수거북, 바다사자, 쥐가오리, 돛새치, 청새치, 참다랑어가 떼를 지어 살아. 수천 마리의 철새들은 섬에서 보금자리를 틀고 있어.

- 그런데 어쩌다 여기가 위험에 처한 세계유산이 되었나요?

- 많은 종의 생물 개체수가 줄어들고 있고, 고유종인 바키타가 곧 멸종할 것 같은 우려 때문이지.

- 바키타요?

- 스페인어로 '작은 소'라는 뜻의 희귀 돌고래야. 돌고랫과 생물 중 가장 작아. 다 자라도 몸이 1.5미터 정도야. 콜로라도강 하류 근처 탁한 물에 사는데 부끄러움을 많이 타서 사람들 눈에 거의 띄지 않았어. 2005년에 200마리 정도였는데 그 후에 조사해 보니 10마리 정도밖에 없는 거야. 눈에 아이라인 화장을 한 것처럼 깜찍해 인기가 많은 바키타!

- 어쩌다가 사랑스러운 바키타가 그렇게 됐어요?

- 토토아바를 잡기 위해 쳐놓은 어망에 걸려 죽는대.

- 대체 무슨 말인가요? 멕시코 정부에서는 보호를 하지 않는가 봐요.

- 토보아바도 멸종위기종으로 캘리포니아만에 사는 민어과 물고기

야. …거기에는 사연이 있어. 일찍부터 중국 한의학에서는 민어과 물고기 부레의 효능을 높이 평가했는데 거의 만병통치약 수준이야. 그래서 보양강장제를 사랑하는 중국 갑부들이 비싼 값에 사들이고 있거든. 토토아바 부레가 암시장에서 킬로그램에 천만 원 정도 한대.

- 도대체 보양강장이 뭐길래?

- 너한테 말해주기는 좀 그렇다. 몸에 좋은 음식이라고만 알아두렴. 멕시코 정부에서는 바키타를 보호하기 위해 자연보호구역도 설정했지만, 효과가 그리 좋지는 않아. 해안선이 수천 킬로미터가 되고, 멕시코 연안에 어업을 생계로 살아가는 어민들도 있거든. 어부들이 쳐놓은 그물에 매년 수십 마리의 바키타가 잡히고 있어. 위험한 상황이야.

47. 알래스카, 캐나다 국경의 산악 공원군 (캐나다, 미국)
세계에서 가장 큰 자연 유산지역

- 겨울이면 따뜻한 난로가 생각나는데 코를 비벼대며 인사를 하는, 알래스카 에스키모들은 어떻게 살까?

- 아마도 이글루에 살지 않을까요?

- 얼음집에서 산다고? 팔을 벌리고 선 사람 모양으로, 친구를 상징하는 이눅슈크를 세워두고. 아니야. 잘못 알려져서 그래. 잠시 머물거나 여행할 때만 이글루에 살았다고 해. 여름에는 '투픽'이라는

천막에서 살고. 그러니까 오래 사는 집은 땅을 파고, 골조를 세우고, 지붕은 가죽으로 덮고, 창문은 바다사자의 내장으로 만들었다고 해. 귀틀집이나 판잣집에서 사는 사람들도 있었고.

- 지금은요?

- 난방이 된 통나무집에서 살고 자동차를 타고 다니지.

- 하긴 우리도 과거처럼 초가집에 살지 않잖아요. 에스키모라는 말은 무슨 뜻인가요?

- 에스키모는 '생고기를 날로 먹는 사람들'이란 뜻으로 시베리아, 캐나다, 그린란드 등 몹시 추운 곳에 사는 사람들이야. 이누이트족, 알류트족, 유픽족을 가리키는 말이야. 이들은 바다에서는 고래나 물개를 잡아먹고 뭍에서는 야생 순록이나 물오리, 연어를 사냥하며 살았어.

- 극한의 추위를 견디는 데는 따를 사람이 없을 것 같아요.

- 그 말을 들으니 1911년 12월 14일 인류 최초 남극점에 도달한 아문젠에 대한 이야기를 하지 않을 수 없구나. 아문젠이 경쟁자였던 스콧과 달리 에스키모들과 2년 동안 같이 살면서 에스키모 털 가죽 옷을 입고 개썰매 타는 법을 배웠다는 거지.

- 철저한 준비가 성공을 가져왔다는 이야기네요. 지금도 알래스카에서는 개썰매대회를 해요?

- 매년 2월 10일부터 19일까지 1,688km, 앵커리지에서 북쪽의 놈까지 '아이디타로드'라는 세계 최장거리 개썰매대회가 열리지.

- 그런데 어떻게 에스키모들은 거기까지 가서 살 생각을 했을까요?

- 빙하기 때 육교가 있었던 거지. 지금은 해수면 상승으로 베링해협이라는 바다가 되어있지만, 그때는 아시아와 북아메리카 대륙이 연결되어 가기 쉬웠지. 이들 중 상당수는 동남쪽으로 내려가 문명을 이루며 산 아메리카 원주민이 되었고, 그 후 시베리아 쪽에서 내려간 민족이 알래스카에 정착한 셈이지.

- 자, 알래스카로 출발!

- 알래스카는 미국의 한 주로 '섬이 아닌 땅' 광대한 토지'라는 뜻의 알류트어야. 극지방은 아니지만 세계에서 가장 큰 빙하가 움직이는 바다와 만년설을 이고 있는 산, 춥고 눈보라 치는 극한의 추위. 그리고 그것을 보상이라도 하려는 듯 '밤하늘의 요정'으로 불리는 휘황한 오로라 불빛을 볼 수가 있지. 5월 중순에서 7월 사이에는 백야도 볼 수 있고. 이것을 보기 위해 알래스카에 가려는 사람들도 많아.

- 만화영화 주인공 오로라 공주가 생각나요. 머리 위로 오로라가 지나가는 상상만 해도 설레요.

- 이번 자연유산은 지구상에 남은 청정구역으로 미국과 캐나다의 국경에 있어. 랭겔 세인트 엘리아스 국립공원과 보호지역, 클루앤 국립공원, 글레이셔만 국립공원, 타셴시니 알섹 주립공원. 세 개의 국립공원으로 구성되어 있는데 남한 면적과 비슷한 면적이야. 북쪽에는 북극해가 있고, 서쪽은 베링해, 남쪽은 태평양이야. 그리고 동쪽이 캐나다 유콘주와 국경이지. 알래스카는 미국이 러시아로부터 사들인 북서부의 주인데 애튜라는 섬은 모든 대륙의 섬 중에서 가장 서쪽에 있어. 그래서 전 세계에서 하루가 가장 늦게 시작되는

곳이지. 가자 이누이트의 본고장으로.

- 알래스카가 원래 미국 땅이 아니었어요?

- 응. 맞아. 18세기 초, 러시아 황제 표트르 1세 명령으로 탐험에 나선 덴마크인 비투스 베링이 처음 발견하면서 세상에 이름을 알렸지. 이후 바다표범과 수달의 가죽이 탐난 러시아 모피 상인들이 알래스카에 이주해 번영을 누렸고. 그러다가 동물들이 급격히 줄어들면서 모피 무역은 시들해지고, 크림전쟁으로 인해 재정적자에 시달리던 러시아가 1867년 미국에 알래스카를 팔겠다고 제안했고, 미국 국무장관 윌리엄 시워드는 720만 달러에 사들였어. 환산하면 1ha당 5센트였는데도 국민들 여론이 아주 좋지 않았어. 알래스카를 북극곰의 정원, 아이스박스라고 비아냥댔고, 가장 어리석은 거래라고 비웃었지. 하지만,

- 하지만,

- 하지만, 1896년 금광이 발견되고 석유, 천연가스가 발견되면서 다시는 그런 말을 할 수 없게 되어버렸지.

- 인생지사 새옹지마라더니.

- 어떻게 그렇게 어려운 말을 알지, 우리 인환이가.

- 아빠가 자주 쓰시던 말이잖아요.

- 그런가. 사람 일이란 알 수 없는 것이거든. 알래스카에는 강이 약 3,000개, 호수가 300개, 빙하가 10만 개가 넘어. 컬럼비아 대빙하가 알래스카 빙하 중 가장 큰데 바다에 물개와 혹등고래, 만년빙이 떠 있는 것을 보면 별천지에 온 느낌이 들어. 빙하가 쪼개지면서 요란한 소리와 함께 물보라를 일으키는 것을 보면 대포 소리같

은 착각이 들어.

- 어떤 동물이 주로 살아요?

- 울창한 침엽수림 속에 여러 종류의 동물이 사는데 눈에 띄는 게 불곰과 빙하곰으로 알려진 흑곰이야. 가는뿔산양, 캐나다순록, 붉은여우, 짧은꼬리족제비, 링크스라고도 불리는 스라소니, 강 수달, 코요테도 살아. 바다나 빙하 쪽에는 돌고래, 바다표범이 살고. 이들이 좋아하는 연어도 살아.

- 곰이 연어를 잡아먹는 사진 본 적이 있어요.

- 그리즐리 알래스카 곰인데 조개를 먹기도 하고, 7~8월 산란기에 모여드는 연어를 잡아먹기도 해. 주의할 것은 이 곰이 아주 공격적이라 사람도 피하지 않는다는 거야.

- 곰은 새끼를 가졌을 때만 공격적인 줄 알았는데.

- 그렇지. 다른 동물로는 비버, 사향쥐, 북극땅다람쥐, 눈신토끼, 피카가 살아. 산양과 검은꼬리사슴도 살고.

- 혹시 피카가 바로 피카츄의 피카인가요?

- 응. 아주 귀엽게 생겼지. 몸집이나 팔다리가 작고 경계할 때 '피카피카'하고 울어. '우는 토끼'나 '쥐토끼'라고도 불러. 눈신토끼는 발이 커서 눈밭에 빠지지 않고 잘 다닐 수 있어. 여름 깃털과 겨울 깃털이 다르게 변하는 뇌조도 여러 종류가 살아. 바다에는 물을 거슬러 오른다는 5종의 태평양 연어, 곤들매기, 무지개송어 등이 살고.

- 제일 높은 산은 어디인가요?

- 높이가 6,194미터의 '위대한 것'이라는 의미의 데날리산인데 원

래는 매킨리산이라고 불렀던 곳이야. 알래스카 원주민의 요청을 정부에서 받아들여 산의 이름이 바뀌었지. 북반구에서 가장 추운 곳이기도 한데 겨울에 -73.3℃까지 내려간 적도 있어. 그리고, 한국인 최초로 에베레스트산을 등정했던 고상돈 대원이 목숨을 잃은 곳이기도 해.

48. 브란겔랴섬의 자연 보호지역 (러시아) 매머드를 찾아서

- 이제 과거에 '매머드'가 살았던 땅으로 가보자. 아주 오래전에 멸종되었다고 알고 있지만, 4000년 전까지만 해도 매머드는 살아 있었어. 그러니까 이집트에서 피라미드를 만들던 시기에 털매머드가 북극해 브란겔랴섬에서 살고 있었다는 얘기.

- 코끼리처럼 생긴 커다란 동물 말이지요?

- 생긴 것은 코끼리하고 비슷하게 생겼는데 엄니(상아)는 더 길고 뒷다리는 짧아. 과거에는 '맘모스'라고 했어.

- 어떻게 4000년 전까지 살아있던 것을 알게 됐어요?

- 남쪽 해안 크라신 만에서 고대 에스키모 사냥꾼이 살던 신석기 유적이 발견되었거든. 거기서 털매머드의 뼈와 피그미털매머드의 엄니 흔적이 나왔어. 그뿐 아니야. 원시 초원들소, 털코뿔소, 프르제발스키라는 말의 흔적도 발견됐어.

- 그럼, 어떻게 멸종됐어요?

- 여기에 대해 여러 학자들이 연구했어. 먹이가 풍부한 툰드라 지

대에 200~800마리 정도가 살았는데, 해수면 상승으로 인해 육지였던 곳이 섬으로 바뀌면서 고립되었을 거야. 그 결과 근친교배 등으로 인해 유전자 변이가 생겼거나, 환경오염, 아이싱현상으로 비가 오자마자 얼어붙은 풀을 먹을 수 없게 되었을 거야.

- 이런 일이 생길 수도 있다니.

- 여기가 특히 소중한 것은 북극지역 대부분을 휩쓸고 지나간 제4간빙기의 해를 입지 않은 채 진화가 이루어졌다는 거지. 고유종이 많고 식물 다양성이 풍부한 것은 물론이고, 매머드의 엄니와 두개골도 남아 있거든.

- 바다코끼리가 많이 있다고 들었어요.

- 한때는 10만 마리가 몰려들 정도였지. 참 바다코끼리가 어떻게 생겼는지 혹시 생각나?

- 바다코끼리, 물범, 물개 구분할 때가 생각나요. 바다코끼리는 일단 덩치가 크다, 또 피부가 거칠고 주름지고, 억센 털로 된 콧수염이 있고 물개나 물범에게 없는 엄니가 있다는 거지요.

-음, 제대로 공부했군. 짝짝! 이번 세계유산은 산이 많은 브란겔랴섬과 해럴드섬, 주변의 바다를 포함한 곳이야. 여기서 남쪽으로 141km 정도 가야 시베리아 본토가 있어. 브란겔랴섬은 1867년 미국 포경선에 의해 처음 발견되었다가, 러시아 탐험가인 브란겔이 섬에 대해 원주민 축치인에게 듣고 새들을 따라 찾아갔다고 해. 이후 1926년 러시아인들이 거주하면서 군대 시설과 순록을 키우는 목동 정착지가 생겨났어.

- 사람의 손이 닿지 않는 자연 모습 그대로였겠어요?

- 브란겔랴섬은 툰드라 지역이지만 꽃들이 피어 있고 산들이 높이 솟아 있는 길이 146킬로미터의 섬이야.

- 지금도 사람이 살아요?

- 옛날에는 축치인들이 살았어. 보기에는 아메리카 원주민처럼 보이는데 최후까지 짜르에 복종하지 않았던 용감한 사람들이라고 해. 봄이나 겨울에는 시베리안 허스키가 끄는 썰매를 타고 이동하며 창이나 작살, 가죽 등으로 만든 그물로 물개를 잡고, 가을에는 고래와 바다코끼리를 사냥했다고 해. 소련 시절 200명 정도가 거주했는데, 소련이 붕괴되면서 인구가 줄어들어 마지막으로, 이주를 거부한 두 사람만 살았지. 그러다가 2003년 바실리나 알파운이 북극곰에게 죽은 후, 그리고리 카우르긴이라는 사람과 기상관측기지만 남았어.

- 지금 섬에는 어떤 동물들이 살아요?

- 음, 가장 큰 태평양 바다코끼리 무리가 살아. 기후변화로 유빙이 얇아지니까 자갈 덮인 해안에 몸을 누이고 있지. 북극곰이나 북극여우도 살고.

- 북극곰 사진 여러 번 봤어요.

- 일 년 내내 혼자 지내는데, 얼음과 유사한 하얀 털의 백곰은 생존능력이 대단해. 여름이 되면 죽은 바다코끼리를 먹는 경우도 있지만, 순록, 물고기, 바닷새를 먹으며 영하 40도 추위와 시속 120킬로미터의 바람을 견뎌내지. 어미 곰은 더 대단해. 수백 마리가 새끼와 함께 겨울을 나는데 북극곰의 분만실이 아닐까 생각될 정도로 장관이야.

- 다른 동물은 어떻게 살아요?

- 특이한 냄새로 암컷을 유혹하는 사향소는 짝짓기 철이면 수컷끼리 박치기를 하다가 천적인 늑대가 출현하면서 바짝 붙어 다니고 있어. 북극여우는 눈 속에 숨어 사는 레밍을 잡아먹고 살아. 간혹 새끼들에게 먹일 알을 훔치려고 일부러 흰기러기를 덮치기도 하고.

- 멸종 위기에 처한 새들도 많이 산다고 들었어요.

- 100종 이상의 철새가 둥지를 틀고, 거대한 바닷새의 군집도 있어. 툰드라 텃새, 매처럼 멸종 위기에 처한 새들도 살아. 5월이 되면 아메리카에서 겨울을 보낸 흰기러기 떼가 모습을 드러내고, 8월이 되면 흰올빼미 새끼들이 날기 연습하다 강물에 처박히기도 해. 참, 멕시코에서 올라온 회색고래도 살아.

- 아, 멕시코 엘 비스카이노 고래보호구역에서 만났던 귀신고래, 다른 말로 쇠고래 말이군요. 거기서 귀신고래를 만지고 쓰다듬고 했던 기억이 나요.

- 지금 이 섬은 세계에서 가장 출입이 어려운 자연보호구역이야. 정부의 허가를 받아야 하고, 여름에는 쇄빙선을 타고 겨울에는 헬기를 타고 가야 해.

49. 파파하노모쿠아키아 (미국) 복합문화유산
하와이 사람의 우주철학이 있는 곳

- 2022. 8. 4일 뉴스 펭귄에 하와이 북서쪽 무인도 파파하노모쿠

아키아 해양국립기념물 보호구역에서 폐그물 43톤을 수거한 미국 해양쓰레기 수거단체에 대한 기사가 실렸어.

- 우리가 지금 막 가려는 복합문화유산이네요.

- 그렇지. 폐그물은 산호초지대에서 발견됐는데, 고립된 이 유산은 면적이 362,075㎢나 되는, 세계에서 가장 넓은 해양보호구역이야. 뾰족한 바위, 침식고지대, 산호초, 석호, 사구, 건조한 목초지, 고염의 호수 등이 있는 곳이야. 생물 지리적이나 진화 과정이 현재에도 진행 중인 곳으로 해양생물 25%가 고유종이야.

- 어떤 동물들이 살고 있어요?

- 푸른바다거북, 가오리, 상어, 멸종위기종인 태평양몽크바다표범, 바다거북, 바닷새, 고래목 동물, 레이산방울새, 레이산오리, 니호아개개비, 니호아방울새, 위기종인 부채야자 등 다양한 물고기가 사는 곳이야.

- 새들이 많군요.

- 열대 바닷새 서식지여서 매년 550만 마리 바닷새가 찾아와 둥지를 틀고 알을 낳아. 위기종인 검은발앨버트로스와 취약종 레이산앨버트로스 대부분이 여기에 살아.

- 폐그물이 있으면 생물들이 죽나요, 아니면 산호초들이 죽나요?

- 응. 일단 그물과 플라스틱이 산호초의 숨을 못 쉬게 할 수 있어. 그러면 생태계가 무너지고 거기에 살던 많은 해양생물도 살아갈 수 없게 되지.

- 다이버 16명이 12일간 해양쓰레기와 폐기물을 청소했는데, 세상에나, 50톤이나 되더라는 거야.

- 그래도 지구에서 가장 깨끗하고 오염되지 않아서 문화유산이 되지 않았나요?

- 맞아. 해마다 밀려오는 쓰레기가 산호초에 축적될까 무섭구나. 그래도 일단 그곳으로 가보자. 이곳은 하와이제도에서 북서쪽으로 250킬로미터나 떨어진 곳이야. 작고 낮은 섬과 환초들이 늘어서 있는 아주 넓은 구역이지. 2006년에는 북서하와이제도 해양국립기념물로 지정이 되었어. 2007년에는 하와이 이름인 파파하노모쿠아키아로 해양국립기념물로 이름이 바뀌었고. 복합문화유산으로 지정이 된 것은 2010년이야.

- 해양국립기념물로 지정되면 뭐가 달라져요?

- 취미로 하는 낚시와 연구를 위한 채취는 허용하지만, 상업적인 고기잡이는 금지되고 채굴도 금지돼. 기후변화나 환경파괴로 인해 훼손되는 자연을 보전하기 위해서라면 그럴 가치가 있지.

- 저도 그렇게 생각해요.

- 좋아. 2016년에는 오바마 대통령이 파파하노모쿠아키아 해양국립기념물 지역 확대안을 발표했어. 이곳에 사는 생물 7,000여 종을 보호하는 것은 물론이고 해양오염과 해수면 상승에도 효과가 있을 거라고. 또 하와이 주민에게 신성한 영역이라는 점도 감안했다고 했어.

- 대통령이 하와이 출생이라서 더 관심을 가졌나 봐요. 그런데 파파하노모쿠아키아라는 이름이 너무 어려워요.

- 파파하노모쿠아키아는 두 신의 이름에서 따온 거야. 하와이 사람들을 만드신 여신 파파하노모쿠와 그 여신의 남편이신 와케아에서.

- 우리나라 마고할미와 비슷한지 모르겠어요. 잠을 자면서 코를 골다가 하늘을 내려앉게 하고, 해와 달을 생기게 하고, 산과 강도 만들었다는.

- 탐험대의 발굴로 니호아섬 절벽 틈에서 인간의 해골 유물이, 마쿠마나마나섬 암굴에서 인간 대퇴골과 정강이뼈가 나왔어. 마저키스제도에 있는 것과 강한 관련이 있어 보이는 고고학적 석상 유적도 있어. 타이티섬에 있는 것과 비슷한 '헤이아우신전'도 남아 있는데 거기에 토착 하와이 사람의 우주철학이 드러나 있어. 조상 대대로 품고 있던 사람과 자연 세계에 대한 태도가 드러난다고나 할까. 하와이 사람들은 두 섬을 생명이 태어나고, 죽으면 영혼이 머무는 곳으로 여겼거든.

- 사람은 죽으면 어디로 갈까요? 혹시 제주도 사람들처럼 이어도로 가는 게 아닐까요?

- 놀랍네. 이어도는 어디에서 들었을까? 이어도는 제주 사람들의 전설적인 섬이야. 바다에서 실종된 사람들이 잘살고 있을 것이라고 믿는 섬이야. 아무튼 너도 철학에 대해 생각할 나이가 됐나 보다.

- 진짜 어디로 가는데요?

- 어디로 가기는? 원래 있던 곳으로 돌아가지. 단지 기억할 수 없을 따름이지.

- 어머니 뱃속에 오기 전에 있던 곳이라? 생각이 안 나요.

- 어쩌면 단테의 신곡에 나오는 것처럼 연옥이나 지옥, 천국이 있을지도 모르지. 불교에서 말하는 것처럼 끝도 없는 윤회를 하고 있는지도 모르고. 확실한 것은 삶은 유한하고 언젠가 우리는 때가 되

면 가야 한다는 거지. 부자나 가난하나, 행복하거나 그렇지 않거나. 그래서 아빠는 다시 이 자리에 오게 되어도 삶을 사랑하려면 어떻게 살아야 하나 고민하고 있어.

– 지금은 이해하기 힘들지만, 언젠가 이해할 날이 오겠지요. (끝)

세계자연유산

[UNESCO world natural heritage]

정의

유네스코 세계유산(UNESCO World Heritage)은 그 특성에 따라 자연유산, 문화유산 및 복합유산으로 분류한다. 세계유산이란 세계유산협약이 규정한 탁월한 보편적 가치(Outstanding Universal Value, OUV)를 지닌 유산으로 유네스코 세계유산위원회가 범세계적으로 보존되어야 할 주요 유산이라고 인정하여 세계유산 목록에 등재(inscription)한 유산을 말한다. 또한 세계자연유산(World Natural Heritage)은 다음과 같이 정의하고 있다. (UNESCO, 2017, 「Operational Guidelines for the Implementation of the World Heritage Convention」. World Heritag Convention, 16-100)

물리적 · 생물학적 생성물로 이루어진 자연의 형태이거나 이러한 생성물의 집합체로 구성된 자연의 기념물로서 미학적 · 학술적 관점에서 탁월한 보편적 가치(OUV)를 갖는 것

지질학적, 지형학적 생성물, 그리고 멸종위기에 처한 동식물 종의 서식지 및 자생지로 특히 일정구역에서 과학적 · 보존적 관점에서 탁월한 보편적 가치(OUV)를 갖는 것

자연유적지 또는 정확히 드러난 자연지역으로 학술 · 보존 또는 자연미의 관점에서 탁월한 보편적 가치(OUV)를 갖는 것

개념

유네스코는 인류 보편적 가치를 지닌 자연유산 및 문화유산을 발굴, 보호 및 보존하고자 1972년 11월 16일 제17차 유네스코 총회에서 세계 문화 및 자연유산 보호에 관한 협약(Convention concerning the Protection of the World cultural and Natural Heritage, 이하 '세계유산협약')을 채택하였고, 1975년 12월 17일 발효되었다. 우리나라는 1988년 102번째로 이 협약에 비준하여 회원국이 되었다.

문화유산의 개념과 보존에 대한 범세계적인 논의는 1959년 이집트의 아부심벨사원(Abu Simbel Temples)의 보존 논의에서 시작되었으며, 자연유산의 개념과 가치, 보존을 위한 발상에 대한 논의는 1960년대에 시작되었다. 특히, 자연유산은 국제자연보존연맹(IUCN)의 노력에 힘입어 문화유산과 자연유산 보존에 대한 노력이 통합되었으며 1972년 세계유산협약으로 발전하였다.

세계유산협약은 '과거로부터 물려받은 것으로, 현재 우리가 더불어 살아가고 미래 세대에 물려주어야 할 자산으로서, 다른 어느 것으로도 대체할 수 없는 삶과 영감의 원천이 되는 것'을 '유산(Heritage)'으로 정의하고, 지구상의 모든 유산들이 특정한 지역과 상관없이 모든 인류에게 속하는 보편적 가치를 지니는 것에 대해 '세계유산'이라는 특별한 개념을 부여하였다2). 즉, 과거와 현재, 그리고 미래로 연결되는 지속가능성(sustainability)을 지니고 있다. (2. 문화재청, 2010. 한국의 세계유산. 눌와, 4-109)

탁월한 보편적 가치(Outstanding Universal Value, OUV)
탁월한 보편적 가치(OUV)란 세계유산이 지녀야 할 기본 개념으로 국경을 초월할 만큼 독보적이고, 현재와 미래 세대를 포함하여 전 인류에게 공통적으로 중요한 문화 및(또는) 자연적 중요성을 의미한다. 탁월한 보편적 가치는 세계유산목록 등재 기준을 정의하는 가장 중요한 가치이다. 즉, 세계유산의 탁월성은 국경을 초월할 만큼 독보적(exceptional) 특징을 지닌 것으로 과거의 유산이지만 현재와 미래를 이어 지속적으로 전 인류에게 공통적(common)으로 적용될 수 있는 속성을 가져야 한다. 세계유산(자연/문화/복합유산)의 등재 시 가장 중요한 사항은 ① 그 유산이 '탁월한 보편적 가치(OUV)'를 지니고 있는가? ② 그 유산의 가치를 인정받기 위한 '진정성(Authenticity) 및/또는 완전성(Integrity)'을 충족시키는가? ③ 해당 유산의 안전을 보장하기 위한 충분한 '보호와 관리체계(Protection and Management system)'를 구축하고 있는가? 이다.

탁월한 보편적 가치(OUV) 평가 기준

과거 탁월한 보편적 가치 평가 기준은 세계자연유산(i -iv)과 세계문화유산(i -iv)으로 분리되어 제시되었으나 현재는 세계유산위원회 제6차 특별회의에서 두 유산 간의 평가 기준을 10개로 통합하였다. 따라서 등재 신청 유산이 하나 이상의 기준을 충족시킬 경우 해당 유산에 탁월한 보편적 가치(OUV)가 있는 것으로 간주한다. 세계유산 등재 평가 기준 중,
(i)~(vi)까지는 6개는 문화유산에 해당하는 기준이며,
자연유산의 평가 기준은 (vii)~(x) 4개이다.

<세계유산 등재 평가 기준>

i 인간의 창의성으로 빚어진 걸작을 대표할 것

ii 오랜 세월에 걸쳐 또는 세계의 일정 문화권 내에서 건축이나 기술 발전, 기념물 제작, 도시 계획이나 조경 디자인에 있어 인간 가치의 중요한 교환을 반영

iii 현존하거나 이미 사라진 문화적 전통이나 문명의 독보저 또는 적어도 특출한 증거일 것

iv 인류 역사에 있어 중요 단계를 예증하는 건물, 건축이나 기술의 총체, 경관 유형의 대표적 사례일 것

v 특히 번복할 수 없는 변화의 영향으로 취약해졌을 때 환경이나 인간의 상호 작용이나 문화를 대변하는 전통적 정주지나 육지 또는 바다의 사용을 예증하는 대표 사례

vi 사건이나 실존하는 전통, 사상이나 신조, 보편적 중요성이 탁월한 예술 및 문학작품과 직접 또는 가시적으로 연관될 것 (다른 기준과 함께 적용 권장)

vii 최상의 자연 현상이나 뛰어난 자연미와 미학적 중요성을 지닌 지역을 포함할 것

viii 생명의 기록이나, 지형 발전상의 지질학적 주요 진행과정, 지형학이나 자연지리학적 측면의 중요 특징을 포함해 지구 역사상 주요단계를 입증하는 대표적 사례

ix 육상, 민물, 해안 및 해양 생태계와 동·식물 군락의 진화 및 발전에 있어 생태학적, 생물학적 주요 진행 과정을 입증하는 대표적 사례일 것

x 과학이나 보존 관점에서 볼 때 보편적 가치가 탁월하고 현재 멸종 위

기에 처한 종을 포함한 생물학적 다양성의 현장 보존을 위해 가장 중요하고 의미가 큰 자연 서식지를 포괄

https://heritage.unesco.or.kr

[네이버 지식백과] 세계자연유산 [UNESCO world natural heritage] (지질학백과)

https://terms.naver.com/entry.naver?docId=5960599&cid=61234&categoryId=61234

-참고문헌
1. 이토록 굉장한 세계 /에드 용 지음, 양병찬 옮김/
   어크로스
2. 세계자연유산 답사 /사계절/ 글, 사진 허용선/ 2020
3. 뉴튼 세계 자연유산 / 아이뉴턴 /2017
4. 유네스코 세계자연유산 / 생각의 나무 /
   마르코 카타네오, 자스미나 트리포니/2007
5. 네이버지식백과
6. 두산백과

-참고자료
1)오가사와라 제도(일본)
https://terms.naver.com/entry.naver?docId=1392661&cid=62346&categ
oryId=62354
http://www.joongdo.co.kr/web/view.php?key=20210217010007132
https://blog.naver.com/zarbon2000/222459596315
https://www.gotokyo.org/jp/spot/247/index.html
https://www.tokyo-park.or.jp/nature/ogasawara/view.html
https://www.travelroad.co.jp/ogasawara/spot/chichijima/weatherstation
https://bewave.co.jp/ogasawara/see/chichi/nagasaki_observatory.html
https://tokuhain.arukikata.co.jp/ogasawara/2019/10/post_63.html
https://blog.naver.com/coia7143/222128817747
https://terms.naver.com/entry.naver?docId=1392661&cid=62346&categ
oryId=62354
https://terms.naver.com/entry.naver?docId=1127769&cid=40942&categ
oryId=33293

2)시레토코(일본)
https://www.japan.travel/national-parks/ko/parks/shiretoko/plants-and
-animals/
http://news.kmib.co.kr/article/view.asp?arcid=0008722441&code=61121

711&cp=nv

http://news.kmib.co.kr/article/view.asp?arcid=0008722441&code=61121711&cp=nv

https://www.traveltimes.co.kr/news/articleView.html?idxno=112721

https://livejapan.com/ko/in-hokkaido/in-pref-hokkaido/in-shiretoko/article-a1000015/

https://m.post.naver.com/viewer/postView.nhn?volumeNo=30455745&memberNo=560 유빙이야기

https://youtu.be/kfQTJwDuC-0 세계테마기행

https://news.kbs.co.kr/news/view.do?ncd=4024133&ref=A KBS
日, '징용자 수백 명 희생' 홋카이도 탄광 미화

3)록아일랜드 남쪽의 석호(팔라우)

https://terms.naver.com/entry.naver?docId=1636850&cid=62346&categoryId=62355

https://terms.naver.com/entry.naver?docId=1712014&cid=40942&categoryId=40767

http://www.discoverynews.kr/news/articleView.html?idxno=216503

디스커버리뉴스

https://blog.naver.com/rise43/90163455131

록아일랜드 남쪽의 석호 / Rock Islands Southern Lagoon

https://blog.naver.com/PostView.naver?blogId=parkjh36&logNo=222612198711

https://www.unamwiki.org/w/%EB%A1%9D%EC%95%84%EC%9D%BC%EB%9E%9C%EB%93%9C_%EB%82%A8%EC%AA%BD%EC%9D%98_%EC%84%9D%ED%98%B8

https://www.ksilbo.co.kr/news/articleView.html?idxno=791130 경상일보

http://view.asiae.co.kr/news/view.htm?idxno=2015041516464088630
아시아경제

https://youtu.be/vq84kag3uDg 동영상

https://home.ebs.co.kr/worldtrip/replayView?siteCd=KH&&courseId=B

P0PAPD0000000013&stepId=01BP0PAPD0000000013&lectId=103855
86 바다거인 신화

http://getabout.hanatour.com/archives/152411 해파리 독이 퇴화

4)그레이트 배리어 리프(오스트레일리아)

https://terms.naver.com/entry.naver?docId=1392570&cid=62346&categ
oryId=62354

https://terms.naver.com/entry.naver?docId=1256734&cid=40942&categ
oryId=33736

https://terms.naver.com/entry.naver?cid=67288&docId=6037198&categ
oryId=67291 동영상 EBS

https://namu.wiki/w/%EA%B7%B8%EB%A0%88%EC%9D%B4%ED
%8A%B8%20%EB%B0%B0%EB%A6%AC%EC%96%B4%20%EB%A
6%AC%ED%94%84 그레이트 배리어 리프

https://terms.naver.com/entry.naver?docId=949589&cid=42867&catego
ryId=42867 죽기 전에 꼭 봐야 할 자연 절경 1001

https://terms.naver.com/entry.naver?docId=2696032&cid=51736&categ
oryId=51736 세계지명 유래사전

https://blog.naver.com/maymake/222662239588 사진

https://blog.naver.com/imjwimjw/222956066293 영혼연구실

https://blog.naver.com/mission7749/222419867009

(영국 BBC가 선정한 죽기 전에 가봐야 할 50곳)

https://news.kmib.co.kr/article/view.asp?arcid=0017069995&code=6113
1111&cp=nv 국민일보

https://www.sedaily.com/NewsView/22NSUE5FD4 서울경제

https://blog.naver.com/tjleelee/222092674408 행복한 논술

https://www.hani.co.kr/arti/international/international_general/1070063.html
한겨레신문

https://terms.naver.com/entry.naver?docId=949590&cid=42867&catego

ryId=42867 죽기 전에 꼭 봐야 할 자연 절경 1001

https://youtu.be/JLIK8VGsFk8 세계테마기행

5)동(東)렌넬(솔로몬제도)

https://terms.naver.com/entry.naver?docId=1392709&cid=62346&categoryId=62354

https://m.blog.naver.com/unesco114/221132182037?view=img_18섬지도

https://terms.naver.com/entry.naver?docId=1256647&cid=40942&categoryId=40761

https://blog.naver.com/unesco114/221132182037

https://blog.naver.com/ykwtour/222162875806

https://namu.wiki/w/%EB%A0%8C%EB%84%AC%20%EC%84%AC

천지일보(https://www.newscj.com)

https://www.unamwiki.org/w/%EB%A0%8C%EB%84%AC_%EC%84%AC_%EB%8F%99%EB%B6%80

https://n.news.naver.com/mnews/article/001/0002185277?sid=102

https://www.korea.kr/news/contributePolicyView.do?newsId=148861429 기름유출사고

6)피닉스제도 보호구역(키리바시)

https://terms.naver.com/entry.naver?docId=1392666&cid=62346&categoryId=62354

https://terms.naver.com/entry.naver?docId=1353440&cid=40942&categoryId=40762

https://ko.wikipedia.org/wiki/%ED%94%BC%EB%8B%89%EC%8A%A4_%EC%A0%9C%EB%8F%84

https://withbeatles.tistory.com/552

https://blog.naver.com/justcoin03/222993455581

https://www.yna.co.kr/view/AKR20200810126800009

https://blog.naver.com/sunhakpeaceprize/222548547980

https://blog.naver.com/sptokorea/223075304500

http://www.discoverynews.kr)

7) 누벨칼레도니 섬의 석호

https://terms.naver.com/entry.naver?docId=1392638&cid=62346&categoryId=62354
https://namu.wiki/w/%EB%88%84%EB%B2%A8%EC%B9%BC%EB%A0%88%EB%8F%84%EB%8B%88
https://www.thedailypost.kr/news/articleView.html?idxno=88751
https://m.terms.naver.com/entry.naver?docId=5782066&cid=62861&categoryId=62861
https://www.sciencetimes.co.kr/news/%EB%AA%B0%EB%94%94%EB%8C%EC%9D%98-%EB%BD%95%EB%94%B0%EC%83%89-%EB%B0%94%EB%8B%A4%EA%B0%80-%EB%A7%88%EB%83%A5-%EC%95%84%EB%A6%84%EB%8B%B5%EC%A7%80-%EC%95%8A%EC%9D%80-%EC%9D%B4/
https://blog.naver.com/hkzeong/90037711689
https://blog.naver.com/thinkchul/20112497907
https://blog.naver.com/jamjma98/222073237030?isInf=true
https://blog.naver.com/web55/222984322584
https://www.yna.co.kr/view/AKR20220918026000074
https://m.blog.naver.com/one_sun_/222963509921
https://blog.naver.com/bjc_zip/222685659578
https://hunza.tistory.com/311
https://lady.khan.co.kr/finance/article/8051
https://youtu.be/aWl1WH2OJFQ
https://youtu.be/oI5tYKtCOwg
https://youtu.be/FZ-pYexLULY   우베아
https://naver.me/GGUID6dg   경향신문

8)로드· 하우섬 등(오스트레일리아)

https://terms.naver.com/entry.naver?docId=1392571&cid=62346&categ

oryId=62354

https://terms.naver.com/entry.naver?docId=951851&cid=42866&catego ry1d=42866 죽기 전에 꼭 가야 할 세계휴양지 1001

https://terms.naver.com/entry.naver?docId=1088117&cid=40942&categ oryId=33297 두산백과

https://www.unamwiki.org/w/%EB%A1%9C%EB%93%9C_%ED%95% 98%EC%9A%B0_%EC%A0%9C%EB%8F%84

http://www.wedding21news.co.kr/news/articleView.html?idxno=251951

https://www.sedaily.com/NewsView/1OOYDWF9ES 서울경제

https://yoda.wiki/wiki/Lord_Howe_Island 막대곤충

9)뉴질랜드 남극 연안섬(뉴질랜드)

https://terms.naver.com/entry.naver?docId=1392683&cid=62346&categ oryId=62354   유네스코 세계유산

https://terms.naver.com/entry.naver?docId=1216988&cid=40942&categ oryId=33736

https://namu.wiki/w/%EB%89%B4%EC%A7%88%EB%9E%9C%EB% 93%9C%20%EB%82%A8%EA%B7%B9%20%EC%97%B0%EC%95% 88%20%EC%84%AC

https://ko.wikipedia.org/wiki/%EB%89%B4%EC%A7%88%EB%9E%9 C%EB%93%9C_%EB%82%A8%EA%B7%B9_%EC%97%B0%EC%95 %88%EC%9D%98_%EC%84%AC

https://www.unamwiki.org/w/%EB%89%B4%EC%A7%88%EB%9E%9 C%EB%93%9C_%EB%82%A8%EA%B7%B9_%EC%97%B0%EC%95 %88_%EC%84%AC

https://m.blog.naver.com/3byuno/40939538

https://kshil.tistory.com/10687470

https://nownews.seoul.co.kr/news/newsView.php?id=20200429601006

10)매쿼리섬(오스트레일리아)

https://terms.naver.com/entry.naver?docId=1392578&cid=62346&categ

oryId=62354 유네스코 세계유산

https://terms.naver.com/entry.naver?docId=1266159&cid=40942&categ
oryId=33736

https://blog.naver.com/kordipr/222493750892 한국해양과학기술원

https://blog.naver.com/the-orbit/221451313840

[출처] 유디트 샬란스키 - 머나먼 섬들의 지도 (태평양, 남극해)

https://naver.me/xKW0B99U

https://naver.me/GFeoHk0h

https://blog.naver.com/kordipr/222493750892

https://blog.naver.com/cubus/222891008688

https://ko.wikipedia.org/wiki/%EB%A7%A4%EC%BF%BC%EB%A6%AC%EC
%84%AC 위키백과

http://wiki.hash.kr/index.php/%EB%A7%A4%EC%BF%BC%EB%A6%AC%E
C%84%AC

https://www.donga.com/news/It/article/all/20080725/8607351/1

https://ko.wikipedia.org/wiki/%EB%A1%9C%EC%97%B4%ED%8E%A
D%EA%B7%84 로열펭귄

https://ko.wikipedia.org/wiki/%ED%99%A9%EC%A0%9C%ED%8E%
AD%EA%B7%84황제펭귄

https://blog.naver.com/animal_kingdom/223083829155

https://www.donga.com/news/It/article/all/20080725/8607351/1

11)샤크만(오스트레일리아)

https://terms.naver.com/entry.naver?docId=1392574&cid=62346&categ
oryId=62354

https://terms.naver.com/entry.naver?docId=1110797&cid=40942&categoryId=40724

https://www.mk.co.kr/news/culture/10549998 매일경제

https://lucki.kr/316

https://unamwiki.org/w/%EC%83%A4%ED%81%AC_%EB%A7%8C

https://youtu.be/Q8DKgbQptvE

https://youtu.be/bB9tVqz0f1s

https://youtu.be/XhhGNeEQv8Q

https://youtu.be/GEAOx_Fu3Fg

https://youtu.be/t_YnAbNuX4M

https://www.ekoreanews.co.kr/news/articleView.html?idxno=28164

https://en.wikipedia.org/wiki/Wooramel_Seagrass_Bank

우라멜 해초은행

https://earthobservatory.nasa.gov/images/147395/sharks-seagrass-and-stromatolites

https://aseanrecords.world/worldkings-worldkings-news-australia-records-institute-auri-wooramel-seagrass-bank-world-s-largest-seagrass-bank/

12)닝갈루 해안(오스트레일리아)

https://terms.naver.com/entry.naver?docId=1392581&cid=62346&categoryId=62354

https://terms.naver.com/entry.naver?docId=1382689&cid=40942&categoryId=40717

https://futurecreative.tistory.com/2061

https://www.newsen.com/news_view.php?uid=201004061113582015

https://blog.naver.com/philatelia/222921229409

https://futurecreative.tistory.com/2061

https://www.australia.com/ko-kr/trips-and-itineraries/perth-and-surrounds/6-days-at-ningaloo-reef.html

https://m.post.naver.com/viewer/postView.nhn?volumeNo=2715805&me

mberNo=1277334

https://blog.naver.com/ymaloveyjh2/222839873055 케이프

https://exploreparks.dbca.wa.gov.au/park/cape-range-national-park

https://www.australia.com/ko-kr/trips-and-itineraries/perth-and-surrou
nds/6-days-at-ningaloo-reef.html

13)코모도 국립공원(인도네시아)

https://terms.naver.com/entry.naver?docId=1392651&cid=62346&categ
oryId=62354

https://terms.naver.com/entry.naver?docId=1215904&cid=40942&categ
oryId=40090

https://namu.wiki/w/%EC%BD%94%EB%AA%A8%EB%8F%84%20
%EA%B5%AD%EB%A6%BD%EA%B3%B5%EC%9B%90

https://www.indonesia.travel/kr/ko/trip-ideas/10-reasons-to-visit-the-
magnificent-komodo-national-park

https://naver.me/5nPeuM7E

https://v.daum.net/v/20200921160622500

https://blog.naver.com/berita_/222697867555

https://m.hani.co.kr/arti/animalpeople/human_animal/963000.html?_fr=
nv

https://m.hankookilbo.com/News/Read/201910160163733836?did=kk

14)푸에르토프린세사 지하강 국립공원(필리핀)

https://terms.naver.com/entry.naver?docId=1392692&cid=62346&categ
oryId=62354

https://commons.wikimedia.org/wiki/File:Puerto_Princesa_Underground
_River.jpg

https://terms.naver.com/entry.naver?docId=6084856&cid=67006&categ
oryId=67387

https://www.doopedia.co.kr/doopedia/master/master.do?_method=view
&MAS_IDX=101013000787235

https://weekly.donga.com/3/all/11/90203/1

http://travel.chosun.com/site/data/html_dir/2012/02/01/2012020102260.html

https://blog.naver.com/onfillmania/222102874955

https://m.blog.naver.com/PostView.naver?isHttpsRedirect=true&blogId=stpetro&logNo=220136164153

https://zul.im/0Ny4vk 티브이

https://ydmin3392.tistory.com/8924161

https://youtu.be/iYBIxGi6Ito

https://youtu.be/_Zb7fyz3POo

15)투바타하 산호초 자연공원(필리핀)

https://terms.naver.com/entry.naver?docId=1392691&cid=62346&categoryId=62354

https://terms.naver.com/entry.naver?docId=6085221&cid=67006&categoryId=67386

http://www.outdoornews.co.kr/news/articleView.html?idxno=13673

https://blog.naver.com/dpdltm0110/222972089885

http://wiki.hash.kr/index.php/%EC%88%A0%EB%A3%A8%ED%95%B4

https://youtu.be/zws5jhEav-c

https://m.blog.naver.com/hoseokch/221532241284 건강한 산호초

16)하롱베이(베트남)

https://terms.naver.com/entry.naver?docId=1392744&cid=62346&categoryId=62354

https://terms.naver.com/entry.naver?docId=3572438&cid=59047&categoryId=59047 하롱베이

https://triple.guide/regions/5eb828fe-cb69-482c-bf37-e166d6cce259/articles/41b36c01-c0ea-420a-bb63-05bf7be92d58

https://triple.guide/regions/5eb828fe-cb69-482c-bf37-e166d6cce259/at

tractions/165da989-516e-4dea-94e7-e5162e228395

https://terms.naver.com/entry.naver?docId=962942&cid=42864&catego
ryId=50859

https://terms.naver.com/entry.naver?docId=3579496&cid=59045&categ
oryId=59045

rms.naver.com/entry.naver?docId=3579496&cid=59045&categoryId=590
45

https://vietnamtravelby.com/%EB%B2%A0%ED%8A%B8%EB%82%A
8-%ED%95%98%EB%A1%B1%EB%B2%A0%EC%9D%B4-%EC%97
%AC%ED%96%89-%EB%82%A0%EC%94%A8-%EC%A0%95%EB%
B3%B4-%EC%A7%80%EB%8F%84-%EC%95%88%EB%82%B4/

https://namu.wiki/w/%ED%95%A0%EB%A1%B1%20%EB%B2%A0%
EC%9D%B4

17)우중클론 국립공원(인도네시아)

https://terms.naver.com/entry.naver?docId=1392653&cid=62346&categ
oryId=62354

https://namu.wiki/w/%EC%9A%B0%EC%A4%91%EC%BF%A8%EB
%A1%A0%20%EA%B5%AD%EB%A6%BD%EA%B3%B5%EC%9B%
90

https://www.indonesia.travel/kr/ko/destinations/java/ujung-kulon-natio
nal-park/ujung-kulon-national-park

https://webcache.googleusercontent.com/search?q=cache:JVAmHG-bQ
WkJ:https://www.seoul.co.kr/news/newsView.php%3Fid%3D199612020
11001&cd=10&hl=ko&ct=clnk&gl=kr 서울신문

https://hmn.wiki/ko/Ujung_Kulon_National_Park

https://blog.naver.com/cpaik/222831198497

https://hmn.wiki/ko/Banteng 반텡

18)순다르반(방글라데시)*   19)순다르반스 국립공원(인도)*

https://terms.naver.com/entry.naver?docId=1392650&cid=62346&categ

oryId=62354

https://terms.naver.com/entry.naver?docId=1136145&cid

https://www.yna.co.kr/view/AKR20190610062700805

https://www.segye.com/newsView/20111204001863

https://www.youtube.com/watch?v=s0zSml4uO2I

이비에스 세계테마기행

https://terms.naver.com/entry.naver?docId=949467&cid=42867&category
ryId=42867

https://m.blog.naver.com/sneedle/221148619130?view=img_2

https://blog.naver.com/chym122/222060952606

순다르반스의 환경문제

https://post.naver.com/viewer/postView.nhn?volumeNo=25238762&me
mberNo=1328891&vType=VERTICAL (지도사진 가져오기)

http://weekly.chosun.com/news/articleView.html?idxno=11473 주간조선

https://www.donga.com/news/article/all/20200804/102301903/1

20)허드 맥도널드 제도(오스트레일리아)

https://terms.naver.com/entry.naver?docId=1392577&cid=62346&categ
oryId=62354

https://blog.naver.com/justcoin03/222349426925

https://namu.wiki/w/%ED%97%88%EB%93%9C%20%EB%A7%A5%
EB%8F%84%EB%84%90%EB%93%9C%20%EC%A0%9C%EB%8F%
84

https://en.wikipedia.org/wiki/Pringlea 케르겔렌 양배추

https://blog.naver.com/astroxin/222621520716

https://m.blog.naver.com/PostView.naver?blogId=kma_131&logNo=220
039994179&scrapedType=1&scrapedLog=223011874736&scrapedOpen
Type=2&view=img_5 제주도지방의 신기한 자연현상

21)프랑스 남방의 땅과 바다(프랑스)

https://terms.naver.com/entry.naver?docId=6032209&cid=62346&categ

oryId=62353
https://terms.naver.com/entry.naver?docId=6042081&cid=40942&categ
oryId=33736
https://ko.wikipedia.org/wiki/%EC%98%A4%EC%8A%A4%ED%8A%
B8%EB%9E%84_%EC%A0%9C%EB%8F%84
https://www.hankyung.com/life/article/2018031885681
https://www.mk.co.kr/news/culture/4942729
https://entertain.naver.com/read?oid=009&aid=0000251461
https://tahititourisme.kr/ko-kr/corporation/wordsofmana/
https://blog.naver.com/tjdrhdgkwk2021/222926716308 모레아 섬
https://blog.naver.com/sum-lab/222807468448 보라보라
https://lady.khan.co.kr/finance/article/7444
https://blog.naver.com/unesco114/222410427819 프랑스령 남방의 땅과
바다

22)소코트라군도(예멘)
https://terms.naver.com/entry.naver?docId=1392746&cid=62346&categ
oryId=62354
https://terms.naver.com/entry.naver?docId=1284581&cid=40942&categ
oryId=40083
https://blog.naver.com/pzkpfw3485/222024014213 소코트라 해안에
버려진 전차
https://blog.naver.com/gangsss/221563149350 용혈수
https://post.naver.com/viewer/postView.naver?volumeNo=27791805&m
emberNo=28643647&vType=VERTICAL 우산나무가 있다.
https://namu.wiki/w/%EC%86%8C%EC%BD%94%ED%8A%B8%EB
%9D%BC%20%EC%84%AC
https://yoda.wiki/wiki/Socotra
https://bluewaves.tistory.com/10785
https://blog.naver.com/mhosq/222164087678
https://hub.zum.com/gettyimageskorea/23955

https://www.ilyo.co.kr/?ac=article_view&entry_id=364946

23)상가넵해상국립공원과 동고넵
  - 무카와르섬 해상국립공원(수단)
https://terms.naver.com/entry.naver?docId=3552884&cid=62346&categ
oryId=62354
https://blog.naver.com/eunoia1148/222822686955
https://wjdxogh5518.tistory.com/15400637
https://www.doopedia.co.kr/m/photobox/gallery/gallery.do?_method=list
_view&GAL_IDX=220427001302303
https://youtu.be/7ty-QmBnVKI 비디오
http://www.atlasnews.co.kr/news/articleView.html?idxno=3126   홍해
모세의 기적
https://m.blog.naver.com/PostView.naver?isHttpsRedirect=true&blogId=
leedovoca&logNo=220453593462 낙타와 바늘구멍

24)알다브라 환초(세이셸)
https://terms.naver.com/entry.naver?docId=1392706&cid=62346&categ
oryId=62354
https://terms.naver.com/entry.naver?docId=1122696&cid=40942&categ
oryId=40687
https://news.g-enews.com/view.php?ud=2019092716112327114e4869c1
20_1
https://www.hani.co.kr/arti/animalpeople/ecology_evolution/1009037.ht
ml
https://ko.wikipedia.org/wiki/%EC%95%8C%EB%8B%A4%EB%B8%8
C%EB%9D%BC%EC%84%AC
http://www.traveltimes.co.kr/news/articleView.html?idxno=39947
여행신문(https://www.traveltimes.co.kr)
https://www.shoestring.kr/travel/af/ar_40.html
https://v.daum.net/v/20190516104103211

25)이시망갈리소 습지 공원(남아프리카공화국)

https://terms.naver.com/entry.naver?docId=1392710&cid=62346&categoryId=62354

https://terms.naver.com/entry.naver?docId=1216467&cid=40942&categoryId=31924 두산백과

https://www.expedia.co.kr/ISimangaliso-Wetland-Park-KwaZulu-Natal.d553248622852715639.Place-To-Visit

https://www.unamwiki.org

https://m.blog.naver.com/PostView.naver?isHttpsRedirect=true&blogId=bok305&logNo=220350523056

https://isimangaliso.com/index.php?lang=en

https://blog.naver.com/PostView.nhn?blogId=bok305&logNo=220349628903

https://south-africa.tistory.com/2

http://www.interafrica.co.kr/dbrm/view.php?id=park&no=17

https://blog.naver.com/wannabe_na/222314955857

https://blog.naver.com/daanish/221794782191

https://youtu.be/QVhw1uDUCt8 KBS

https://youtu.be/dF3spCEKPVg

http://www.newsdigm.com/9563

http://www.newsdigm.com/9563

https://ko.theplanetsworld.com/1348-st-lucia-stl-ko

여행신문(https://www.traveltimes.co.kr)

https://south-africa.tistory.com/3

https://blog.naver.com/wannabe_na/222314955857

https://terms.naver.com/entry.naver?docId=2445515&cid=51670&categoryId=51672 ebs

https://blog.naver.com/ichmount/222446634434

한국의 갯벌 유네스코 세계유산이 되다

26)고프섬과 이낵세시블 섬(영국)

https://terms.naver.com/entry.naver?docId=1392731&cid=62346&categoryId=62354

https://terms.naver.com/entry.naver?docId=1218923&cid=40942&categoryId=33736 두산백과

https://blog.naver.com/cojaya/221677663912

https://terms.naver.com/entry.naver?docId=1715564&cid=40942&categoryId=32618 북부바위뛰기펭귄

http://www.newstheone.com/news/articleView.html?idxno=72904쇠물닭

27)브라질 대서양 제도 : 페르난두 데 노로냐
　와 아톨 다스 로카스 보호지역(브라질)

https://terms.naver.com/entry.naver?docId=1392591&cid=62346&categoryId=62354

https://terms.naver.com/entry.naver?docId=1256636&cid=40942&categoryId=40603

https://blog.naver.com/unesco114/222470252232

https://blog.naver.com/ws1028yh/222807880030

https://blog.naver.com/polov2000/223031416847

https://yoda.wiki/wiki/Rocas_Atoll

https://namu.wiki/w/%EA%B1%B0%EB%B6%81 거북

28)발데스 반도(아르헨티나)

https://terms.naver.com/entry.naver?docId=1392568&cid=62346&categoryId=62354 유네스코 세계유산

https://terms.naver.com/entry.naver?docId=1218513&cid=40942&categoryId=40642　두산백과 발데스 반도의 비극

https://post.naver.com/viewer/postView.naver?volumeNo=34498900&memberNo=11595512&vType=VERTICAL

https://blog.naver.com/leehmin2197/222650676964 발데스반도

https://terms.naver.com/entry.naver?docId=948971&cid=42867&catego

ryId=42867 죽기 전에 꼭 봐야 할 자연 절경 1001

https://ko.wikipedia.org/wiki/%EB%82%A8%EB%B0%A9%EC%B0%B8%EA%B3%A0%EB%9E%98

https://terms.naver.com/entry.naver?docId=1057378&cid=40942&categoryId=32624 강치

https://descubrir.online/ko/peninsula-valdes/

https://www.youtube.com/watch?v=UK5ahQppNSI 범고래 백상아리

https://kimitsha.tistory.com/95 범고래에 대한 모든 것

https://m.post.naver.com/viewer/postView.nhn?volumeNo=14798547&memberNo=10005291 물개 물범 바다코끼리

29)방다르갱 국립공원(모리타니)

https://terms.naver.com/entry.naver?docId=1392673&cid=62346&categoryId=62354

https://terms.naver.com/entry.naver?docId=1256597&cid=40942&categoryId=33736

https://www.unamwiki.org/w/%EB%B0%A9%EB%8B%A4%EB%A5%B4%EA%B0%B1_%EA%B5%AD%EB%A6%BD%EA%B3%B5%EC%9B%90

https://blog.naver.com/skwogud581_/222144242467 노예제도가 아직 있는, 드넓고 조용한 황야의 나라, 모리타니 여행지

http://news.heraldcorp.com/view.php?ud=20160802000394

https://m.blog.naver.com/unesco114/221125257554 모리타니의 세계유산

https://ko.wikipedia.org/wiki/%EC%A7%80%EC%A4%91%ED%95%B4%EB%AA%BD%ED%81%AC%EB%AC%BC%EB%B2%94 지중해몽크물범

https://terms.naver.com/entry.naver?docId=3568787&cid=58945&categoryId=58974 바다거북

30)이비사의 생물 다양성과 문화(스페인)

https://terms.naver.com/entry.naver?docId=1392769&cid=62346&categoryId=62355

https://terms.naver.com/entry.naver?docId=1256709&cid=40942&categoryId=33736

https://terms.naver.com/entry.naver?docId=1134737&cid=40942&categoryId=33294

https://namu.wiki/w/%ED%8C%8C%EC%97%90%EC%95%BC
스페인의 쌀밥 요리.

https://namu.wiki/w/%EC%9D%B4%EB%B9%84%EC%82%AC

https://blog.naver.com/mi1891/222929830128?isInf=true 누드비치

https://ko.wikipedia.org/wiki/%ED%8F%AC%EC%8B%9C%EB%8F%84%4%EB%8B%88%EC%95%84%EC%86%8D

https://kyobolifeblog.co.kr/3395 치명적인 매력, 이비사 여행기

https://m.hani.co.kr/arti/science/science_general/987091.html

https://www.expedia.co.kr/Ibiza-Town.dx1559

https://namu.wiki/w/%ED%88%AC%EC%84%9D%EA%B5%AC
투석구

https://www.expedia.co.kr/Ibiza-Island.dx602653

https://maps.sygic.com/?utm_source=content-pages&utm_medium=cta&utm_campaign=list#/?item=poi:5282357&map=13,38.907465,1.408653
지도

http://sentipark.tistory.com/1887

https://blog.naver.com/alswloon/222819555861

31)포르토만: 피아나의 칼랑슈, 지롤라타만,
　스캉돌라 자연 보호 지역(프랑스)

https://terms.naver.com/entry.naver?docId=1392637&cid=62346&categoryId=62354

https://terms.naver.com/entry.naver?docId=1256933&cid=40942&categoryId=33736

https://blog.naver.com/eigerseong/222089960683 칼랑크 드 피아나
https://blog.naver.com/jinhee_longvacation/221652145795 코르시카
https://www.doopedia.co.kr/travel/viewContent.do?idx=170113000024770
https://www.britannica.com/science/maquis-vegetation
https://www.doopedia.co.kr/doopedia/master/master.do?_method=view&MAS_IDX=101013000902995
https://m.blog.naver.com/PostView.naver?isHttpsRedirect=true&blogId=unesco114&logNo=110010280229
https://overseas.mofa.go.kr/oecd-ko/brd/m_8516/view.do?seq=1337854&srchFr=&srchTo=&srchWord=&srchTp=&multi_itm_seq=0&itm_seq_1=0&itm_seq_2=0&company_cd=&company_nm=
https://m.blog.naver.com/unesco114/110010280229?view=img_99 위치

32)바덴 해(덴마크, 독일, 네덜란드)
https://terms.naver.com/entry.naver?docId=1392642&cid=62346&categoryId=62354
https://happybean.naver.com/donations/H000000184376
https://post.naver.com/viewer/postView.nhn?volumeNo=23036573&memberNo=39171168&vType=VERTICAL 고산/임마누엘 페스트라이쉬 교수의 한국인만 모르는 한국의 보물 '갯벌'
https://youtu.be/Xqps9GmujSM
https://youtu.be/fyf0aP_uPU8 북해
https://www.unamwiki.org/w/%EB%B0%94%EB%8D%B4_%ED%95%B4
https://ko.wikipedia.org/wiki/%EB%B0%94%EB%8D%B4%ED%95%B4
https://terms.naver.com/entry.naver?docId=1141510&cid=40942&categoryId=32304 조간대
https://yoda.wiki/wiki/Wadden_Sea

https://n.news.naver.com/mnews/article/020/0000217492?sid=104

33)세인트 킬다 군도(영국)

https://terms.naver.com/entry.naver?docId=1392775&cid=62346&categ
oryId=62355

https://terms.naver.com/entry.naver?docId=1218530&cid=40942&categ
oryId=40343

http://www.jejusori.net/news/articleView.html?idxno=120709

<장태욱의 제주 지질기행>

https://n.news.naver.com/mnews/article/028/0000120725?sid=103

일본인 이가타 게이코가 쓴 '이 세상 끝에 있는 섬'

https://www.munhwa.com/news/view.html?no=20140515010317322750
02 문화일보 200년전 멸종 '도도새' 뼈 스코틀랜드서 발굴

https://ko.wikipedia.org/wiki/%EC%84%B8%EC%9D%B8%ED%8A%B
8%ED%82%AC%EB%8B%A4 위키백과

https://www.unamwiki.org/w/%EC%84%B8%EC%9D%B8%ED%8A%
B8_%ED%82%AC%EB%8B%A4_%EA%B5%B0%EB%8F%84
세인트 킬다 군도 우남위키

https://m.blog.naver.com/PostView.naver?isHttpsRedirect=true&blogId=
ilortho&logNo=20209451605

34)하이 코스트/크바르켄 군도 (핀란드, 스웨덴)

https://terms.naver.com/entry.naver?docId=1392636&cid=62346&categ
oryId=62354

https://terms.naver.com/entry.naver?docId=1256661&cid=40942&categ
oryId=33736

https://www.youtube.com/watch?v=EKp2YjU2Xrw

https://blog.naver.com/bookcomma/222932815420 투발루 해수면 상승

https://www.youtube.com/@highcoastkvarken9191/videos

https://www.youtube.com/watch?v=_RYnhmNqY4o

https://www.unamwiki.org/w/%ED%81%AC%EB%B0%94%EB%A5%

B4%EC%BC%84 %EA%B5%B0%EB%8F%84%EC%99%80 %ED%95
%98%EC%9D%B4 %EC%BD%94%EC%8A%A4%ED%8A%B8
https://wjdxogh5518.tistory.com/15400047 백두대간
https://varldsarvethogakusten.se/sv/varldsarvet/

35)노르웨이 서부 피오르 -
에이랑에르피오르와 네뢰위피오르(노르웨이)
https://terms.naver.com/entry.naver?docId=1392686&cid=62346&categ
oryId=62354
https://terms.naver.com/entry.naver?docId=1256523&cid=40942&categ
oryId=40467
https://blog.naver.com/njoyclass/222860250925
https://blog.naver.com/djmanul/221828735272
https://www.donga.com/news/article/all/20180418/89670183/1
https://www.greatopen.net/index.php?m=ci&cc=gb&mm=view_text&idx
=5914
https://terms.naver.com/entry.naver?docId=1227621&cid=40942&categ
oryId=32304
https://www.greatopen.net/index.php?m=ci&cc=gb&mm=view_text&idx
=5914
https://post.naver.com/viewer/postView.nhn?volumeNo=31823042&me
mberNo=44925530&vType=VERTICAL
https://terms.naver.com/entry.naver?docId=2843645&cid=47317&categ
oryId=47317 최초로 그린란드와 북아메리카에 간 바이킹

36)쉬르트세이섬(아이슬란드)
https://terms.naver.com/entry.naver?docId=1392645&cid=62346&categ
oryId=62354
https://terms.naver.com/entry.naver?docId=1164651&cid=40942&categ
oryId=33294
https://www.insight.co.kr/news/166150 토마토숲

37)에버글레이즈 국립공원(미국)

https://terms.naver.com/entry.naver?docId=1392734&cid=62346&categoryId=62354

https://terms.naver.com/entry.naver?docId=1216245&cid=40942&categoryId=40556

https://blog.naver.com/fdsa114/221620905017

https://www.nps.gov/ever/index.htm 에버글레이즈 국립공원

https://terms.naver.com/entry.naver?docId=948828&cid=42867&categoryId=42867

https://terms.naver.com/entry.naver?docId=6604307&cid=67006&categoryId=69811

https://ko.wikipedia.org/wiki/%EC%97%90%EB%B2%84%EA%B8%80%EB%A0%88%EC%9D%B4%EC%A6%88_%EA%B5%AD%EB%A6%BD%EA%B3%B5%EC%9B%90 위키백과.

https://www.dailian.co.kr/news/view/513373/?sc=naver

https://post.naver.com/viewer/postView.nhn?volumeNo=27532649&memberNo=16274759&vType=VERTICAL

https://blog.naver.com/dyyoon18/222957383261

https://www.expedia.co.kr/Everglades-National-Park-Florida.d54987.Place-To-Visit

https://m.blog.naver.com/touredu/30046272957

https://brunch.co.kr/@yongwoonlim/18

https://terms.naver.com/entry.naver?docId=1360456&cid=40942&categoryId=34126

https://terms.naver.com/entry.naver?docId=1360456&cid=40942&categoryId=34126 플라밍고

https://terms.naver.com/entry.naver?docId=963915&cid=42864&categoryId=50859

https://www.donga.com/news/article/all/20030918/7983292/1

38) 시안 카안 생물권 보전지역(멕시코)

https://terms.naver.com/entry.naver?docId=1392674&cid=62346&categoryId=62354 시안 카안 생물권 보전 지역

https://terms.naver.com/entry.naver?docId=1217918&cid=40942&categoryId=40598

https://post.naver.com/viewer/postView.naver?volumeNo=35506314&memberNo=41466008&vType=VERTICAL

https://m.blog.naver.com/apectria/113648848

http://www.unamwiki.org/w/%EC%8B%9C%EC%95%88_%EC%B9%B4%EC%95%88_%EC%83%9D%EB%AC%BC%EA%B6%8C_%EB%B3%B4%EC%A0%84_%EC%A7%80%EC%97%AD

https://whc.unesco.org/en/list/410

https://en.wikipedia.org/wiki/Cenote

https://ko.wikipedia.org/wiki/%EB%A7%88%EC%95%BC_%EB%AC%B8%EB%AA%85

https://blog.naver.com/PostView.nhn?isHttpsRedirect=true&blogId=noodles819&logNo=220507169857

39) 벨리즈 산호초 보호지역(벨리즈)

https://ko.wikipedia.org/wiki/%EB%B2%A8%EB%A6%AC%EC%A6%88_%EC%82%B0%ED%98%B8%EC%B4%88_%EB%B3%B4%ED%98%B8%EC%A7%80%EC%97%AD

https://en.wikipedia.org/wiki/Belize_Barrier_Reef 벨리즈 배리어 리프

http://news.heraldcorp.com/view.php?ud=20180701000228

https://www.nocutnews.co.kr/news/4831355

https://ko.wikipedia.org/wiki/%EB%9D%BC%EC%9D%B4%ED%8A%B8%ED%95%98%EC%9A%B0%EC%8A%A4_%ED%99%98%EC%B4%88

https://m.blog.naver.com/PostView.naver?isHttpsRedirect=true&blogId=oniontour&logNo=220749333713

https://ttalgi21.khan.kr/6380

40)말펠로 동식물 보호구역(콜롬비아)

https://terms.naver.com/entry.naver?docId=1392615&cid=62346&categoryId=62354

https://terms.naver.com/entry.naver?docId=1256857&cid=40942&categoryId=33736 두산백과

https://blog.naver.com/sjoh1734/223030590467

https://myljnet.tistory.com/33

https://plmedia.wiki/ko/e32b1e9

https://wjdxogh5518.tistory.com/15400307

https://blog.naver.com/hyberhwp/221499910653

https://en.wikipedia.org/wiki/Nazca_booby 나스카부비

41)코이바 국립공원과 해양 특별 보호구역(파나마)

https://terms.naver.com/entry.naver?docId=1392688&cid=62346&categoryId=62354

https://terms.naver.com/entry.naver?docId=1263176&cid=40942&categoryId=33736

https://wjdxogh5518.tistory.com/15400275

https://kr.trip.com/travel-guide/attraction/sona/coiba-island-national-park-50649002/ 사진

https://www.yna.co.kr/view/AKR20210316028200087

https://blog.naver.com/qaq9441/222949104444 엘리뇨

https://blog.naver.com/kma_131/221208656958

42)과나카스테 보전지역(코스타리카)

https://terms.naver.com/entry.naver?docId=1392618&cid=62346&categoryId=62354

https://terms.naver.com/entry.naver?docId=1256855&cid=40942&categoryId=33736

https://www.unamwiki.org/w/%EA%B3%BC%EB%82%98%EC%B9%B4%EC%8A%A4%ED%85%8C_%EB%B3%B4%EC%A0%84%EC%A7

%80%EC%97%AD

https://blog.naver.com/habellea/223007809731

https://o2zon.tistory.com/2033   오렌지껍질

https://blog.naver.com/5koreapax/222919352724

https://m.blog.naver.com/afreelife554/223024264047

https://www.news1.kr/articles/804239

http://www.obsnews.co.kr/news/articleView.html?idxno=1339765

https://blog.naver.com/fealacsupporters/222530989802

https://blog.naver.com/rtyari12/222443827275

코스타리카의 카리브해와 눈물의 난초

https://www.expedia.co.kr/Rincon-De-La-Vieja-Volcano-National-Park-
Costa-Rica.d6071373.Place-To-Visit

43)코코스섬 국립공원(코스타리카)

https://terms.naver.com/entry.naver?docId=1392617&cid=62346&categ
oryId=62354

https://terms.naver.com/entry.naver?docId=1215896&cid=40942&categ
oryId=31924

https://blog.naver.com/kecoprumy/221549651086

https://blog.naver.com/divebnb/223040716729 동영상

https://blog.naver.com/isdreamer/222922666144 코코스섬 3곳

https://blog.naver.com/togugu/222921260521 보물섬

https://blog.naver.com/gommans/221661321668

https://blog.naver.com/coia7143/222135917855 코스타리카의 코코스 섬

https://ko.wikipedia.org/wiki/%EC%BD%94%EC%BD%94%EC%84%A
C

https://m.blog.naver.com/PostView.naver?isHttpsRedirect=true&blogId=
aulerbrian&logNo=40155327396

https://wjdxogh5518.tistory.com/15399860

44)갈라파고스 제도(에콰도르)

https://terms.naver.com/entry.naver?docId=1392632&cid=62346&categoryId=62354

https://terms.naver.com/entry.naver?docId=1056104&cid=40942&categoryId=33295

https://ko.wikipedia.org/wiki/%EB%8B%A4%EC%9C%88%EC%9D%98_%ED%95%80%EC%B9%98

https://namu.wiki/w/%EA%B0%88%EB%9D%BC%ED%8C%8C%EA%B3%A0%EC%8A%A4%20%EC%A0%9C%EB%8F%84

https://blog.naver.com/pinkyluv83/222911289545?isInf=true

https://blog.naver.com/bonniegets/222790530397?isInf=true

https://m.post.naver.com/viewer/postView.nhn?volumeNo=26317677&memberNo=41739456&navigationType=push

https://m.blog.naver.com/kwonek1990/221451044220

https://namu.wiki/w/%EA%B0%88%EB%9D%BC%ED%8C%8C%EA%B3%A0%EC%8A%A4%EB%95%85%EA%B1%B0%EB%B6%81

https://blog.naver.com/harry1670/221585985778 이사벨라

https://solveout.tistory.com/199

https://m.blog.naver.com/maumbloom/221533486512

45)레비야히헤도 제도(멕시코)

https://terms.naver.com/entry.naver?docId=3552880&cid=62346&categoryId=62354

https://terms.naver.com/entry.naver?docId=5783379&cid=40942&categoryId=33736

https://www.unamwiki.org/w/%EB%A0%88%EB%B9%84%EC%95%BC%ED%9E%88%ED%97%A4%EB%8F%84_%EC%A0%9C%EB%8F%84

https://blog.naver.com/coia7143/222076940747

https://blog.naver.com/raewon0923/222094746897

멸종위기동물-소코로비둘기

https://ko.wikipedia.org/wiki/%EB%A0%88%EB%B9%84%EC%95%B
C%ED%9E%88%ED%97%A4%EB%8F%84_%EC%A0%9C%EB%8F
%84

http://scuba.bstorm.co.kr/news_proc/news_contents.jsp?ncd=2160

https://wjdxogh5518.tistory.com/15400669

http://fishillust.com/Lythrypnus_zebra

http://www.scubanet.kr/article/view.php?category=1&article=3617

46)엘 비스카이노 고래 보호구역(멕시코)

https://terms.naver.com/entry.naver?docId=1392675&cid=62346&categ
oryId=62354

https://terms.naver.com/entry.naver?docId=1217919&cid=40942&categ
oryId=33736

https://terms.naver.com/entry.naver?docId=970832&cid=47318&catego
ryId=47318

https://www.unamwiki.org/w/%EC%97%98_%EB%B9%84%EC%8A%
A4%EC%B9%B4%EC%9D%B4%EB%85%B8_%EA%B3%A0%EB%9E
%98_%EB%B3%B4%ED%98%B8_%EA%B5%AC%EC%97%AD

https://yoda.wiki/wiki/El_Vizca%C3%ADno_Biosphere_Reserve

https://wjdxogh5518.tistory.com/15399649

https://www.greenpeace.org/korea/update/12489/blog-ocean-five_facts_
about_whales/

https://artsandculture.google.com/story/_wURrACTzqU-JQ

https://whc.unesco.org/en/list/554 유네스코

https://blog.naver.com/PostView.nhn?isHttpsRedirect=true&blogId=swb
o2&logNo=222834430612 화폐

http://www.hdhy.co.kr/news/articleView.html?idxno=9159 고래잡이

https://www.hani.co.kr/arti/animalpeople/wild_animal/863209.html

https://www.bbc.com/korean/international-48821501

https://m.blog.naver.com/with_pen/221738720440 교육청

https://imnews.imbc.com/replay/2018/nwtoday/article/4532770_30187.

html
http://www.heritage.go.kr/heri/cul/culSelectDetail.do;jsessionid=1c9iv1M
BWcfUOI60GACJnD1baMv0xcZzA8hfoKA65tNOFfs6xmdH9MIO08H30p
qd.cpawas_servlet_engine1?pageNo=1_1_2_0&ccbaCpno=136990126000
0 쇠고래, 회색고래
https://namu.wiki/w/%EA%B7%80%EC%8B%A0%EA%B3%A0%EB
%9E%98
https://blog.naver.com/fira_sea/221181342692 귀신고래

47)캘리포니아만의 섬과 보호지역(멕시코)
https://terms.naver.com/entry.naver?docId=1392676&cid=62346&categ
oryId=6
https://terms.naver.com/entry.naver?docId=1256588&cid=40942&categ
oryId=31928 캘리포니아만 Gulf of California
https://www.unamwiki.org/w/%EC%BA%98%EB%A6%AC%ED%8F%
AC%EB%8B%88%EC%95%84_%EB%A7%8C%EC%9D%98_%EC%8
4%AC%EA%B3%BC_%EB%B3%B4%ED%98%B8%EC%A7%80%EC
%97%AD
https://www.meteorologiaenred.com/ko/golfo-de-california.html#Caracte
risticas_principales
http://wiki.hash.kr/index.php/%EC%BD%94%EB%A5%B4%ED%85%
8C%EC%8A%A4%ED%95%B4
https://youtu.be/yOA3r90cyHk
https://youtu.be/yOA3r90cyHk
https://youtu.be/ccGAz7E560M
https://youtu.be/tnyE5_ld14g
https://youtu.be/KxRdRKWFsCo
https://artsandculture.google.com/story/LAWxKDqaU-BeJQ
https://m.khan.co.kr/opinion/column/article/201810212107005#c2b
https://namu.wiki/w/%EC%BA%98%EB%A6%AC%ED%8F%AC%EB
%8B%88%EC%95%84?from=%EC%BA%98%EB%A6%AC%ED%8F

%AC%EB%8B%88%EC%95%84%EC%A3%BC

https://simplyeco.tistory.com/16

http://www.astronomer.rocks/news/articleView.html?idxno=86543

캘리포니아산불

https://terms.naver.com/entry.naver?docId=3571855&cid=59014&categ oryId=59014

http://www.hkbs.co.kr/news/articleView.html?idxno=521051

https://ko.wikipedia.org/wiki/%EB%B0%94%ED%82%A4%ED%83%8 0

https://www.hani.co.kr/arti/animalpeople/ecology_evolution/1042046.ht ml 지구상에 딱 10마리…판다 닮은 바키타 돌고래의 마지막 '희망'

https://www.chosun.com/site/data/html_dir/2017/05/20/20170520009 39.html

48)알래스카. 캐나다 국경의 산악 공원군(캐나다, 미국)

https://terms.naver.com/entry.naver?docId=1392598&cid=62346&categ oryId=62354

https://terms.naver.com/entry.naver?docId=1217933&cid=40942&categ oryId=40533

알래스카 [Alaska] (세계지명 유래 사전, 2006. 2. 1., 송호열)

https://ko.wikipedia.org/wiki/%EC%86%8C%ED%95%98%EC%84%B 1_%EC%9E%90%EC%9B%90

https://www.hani.co.kr/arti/animalpeople/ecology_evolution/878288.html

https://namu.wiki/w/%EB%B6%88%EA%B3%B0 불곰

https://dicotyl-b.postype.com/post/1774771 큰 뇌조

http://fishillust.com/Thymallus_articus_jaluensis 살기

http://san.chosun.com/news/articleView.html?idxno=4292 월간 산

http://kid.chosun.com/site/data/html_dir/2012/11/28/2012112802121. html 어린이 조선일보

https://youtu.be/vGQ_SooKM5E

http://san.chosun.com/news/articleView.html?idxno=4292

https://parks.canada.ca/culture/spm-whs/sites-canada/sec02d

https://namu.wiki/w/%EC%9D%B4%EB%88%84%EC%9D%B4%ED%8A%B8

https://brunch.co.kr/@mindtrip/177

https://namu.wiki/w/%EC%95%8C%EB%9E%98%EC%8A%A4%EC%B9%B4

https://sgsg.hankyung.com/article/2005101288111 알래스카

https://www.kyeonggi.com/article/201010170379468

https://www.yna.co.kr/view/AKR20220904044100072

https://www.joongang.co.kr/article/21444602#home

https://brunch.co.kr/@kgbkim/26　아문젠

49)브란겔랴섬의 자연 보호지역(러시아)

https://terms.naver.com/entry.naver?docId=1392701&cid=62346&categoryId=62354

https://terms.naver.com/entry.naver?docId=1256559&cid=40942&categoryId=40207

https://namu.wiki/w/%EB%B8%8C%EB%9E%91%EA%B2%94%20%EC%84%AC

https://youtu.be/X0y1aPq8QwU

https://youtu.be/2htihlZPC3w 축치인

http://past2.nationalgeographic.co.kr/feature/index.asp?seq=109&artno=519

http://www.5taku.com/bbs/board.php?bo_table=trp&wr_id=697

50)파파하노모쿠아키아(미국)

https://terms.naver.com/list.naver?cid=62346&categoryId=62352

https://terms.naver.com/entry.naver?docId=1353443&cid=40942&categoryId=40557

https://ko.wikipedia.org/wiki/%ED%8C%8C%ED%8C%8C%ED%95%98%EB%85%B8%EB%AA%A8%EC%BF%A0%EC%95%84%ED%82%

A4%EC%95%84_%ED%95%B4%EC%96%91%EA%B5%AD%EB%A6
%BD%EA%B8%B0%EB%85%90%EB%AC%BC

https://www.newspenguin.com/news/articleView.html?idxno=12131

https://sports.khan.co.kr/bizlife/sk_index.html?art_id=20160826163000
3&sec_id=560101&pt=nv